50 coisas
que você
precisa saber sobre
DOR
Como gerenciar a
dor, evitar crises e
procurar ajuda

50 coisas
que você
precisa saber sobre
DOR

Como gerenciar a
dor, evitar crises e
procurar ajuda

AUTORA

Silvia Regina Dowgan Tesseroli de Siqueira

EDITORA ATHENEU

São Paulo —	Rua Jesuíno Pascoal, 30
	Tel.: (11) 2858-8750
	Fax: (11) 2858-8766
	E-mail: atheneu@atheneu.com.br
Rio de Janeiro —	Rua Bambina, 74
	Tel.: (21)3094-1295
	Fax: (21)3094-1284
	E-mail: atheneu@atheneu.com.br
Belo Horizonte —	Rua Domingos Vieira, 319 — conj. 1.104

CAPA: Equipe Atheneu
PRODUÇÃO EDITORIAL: MWS Design

CIP-BRASIL. CATALOGAÇÃO NA PUBLICAÇÃO
SINDICATO NACIONAL DOS EDITORES DE LIVROS, RJ

S632c

    Siqueira, Silvia R. D. T.
    50 coisas que você precisa saber sobre dor : como gerenciar a dor, evitar crises e procurar ajuda / Silvia R. D. T. Siqueira. - 1. ed. - Rio de Janeiro : Atheneu, 2018.
    : il.

    Inclui bibliografia
    ISBN 978-85-388-0891-6

    1. Dor. 2. Dor - Tratamento. I. Título.

18-50176   CDD: 616.0472
                            CDU: 616.8-009.7

Leandra Felix da Cruz - Bibliotecária - CRB-7/6135
04/06/2018   11/06/2018

Siqueira, SRDT.
50 Coisas que Você Precisa Saber sobre Dor – Como gerenciar a dor, evitar crises e procurar ajuda

©*Direitos reservados à EDITORA ATHENEU — São Paulo, Rio de Janeiro, Belo Horizonte, 2018.*

Autora

SILVIA REGINA DOWGAN TESSEROLI DE SIQUEIRA

Livre-docente pela Faculdade de Medicina da Universidade de São Paulo – FMUSP. Doutora pelo Departamento de Neurologia da FMUSP. Especialista em Dor Orofacial. Membro da equipe de Dor Orofacial e Centro Interdisciplinar de Dor do Hospital das Clínicas da Faculdade de Medicina da Universidade de São Paulo – HC-FMUSP.

Prefácio

Apesar de ter me tornado cientista e de ter ingressado no meio acadêmico, no qual posso atuar descobrindo coisas sobre a dor e orientando alunos da graduação e da pós-graduação, em nenhum momento de minha formação e atuação fiquei distante dos pacientes. Eles estão em minhas pesquisas, e são eles os objetivos para tudo aquilo que desenvolvo. É o alívio dos pacientes que busco em cada parte de minha atividade profissional. São os pacientes minha RAZÃO.

Passei boa parte de minha vida dentro de um hospital, acompanhando pacientes realmente complexos, aqueles que têm as piores dores e que muitas vezes perderam a esperança em tudo: pessoas com dores estranhas que foram diagnosticadas com câncer, outros que não tinham apenas uma doença, mas duas ou três causando a dor, e alguns com sintomas raríssimos de doenças reumáticas, como lúpus eritematoso sistêmico ou artrite reumatoide em articulação temporomandibular (a articulação da boca). Pacientes com dor são como peregrinos, vão de clínica em clínica sem *saber* o que têm, sem encontrar um tratamento ou alguém capacitado para *dizer* o que têm. Quando muito, têm o nome da doença na ponta da língua, mas não sabem informações práticas sobre o que podem ou não fazer, o que estará por vir e quais as opções de tratamento e possibilidades de ação em momentos de crise. Não bastasse isso, é um sintoma desesperador, é angústia e sofrimento, é a urgência de não poder esperar até o dia seguinte porque simplesmente dói.

Eu sei muito bem disso, porque também fui paciente: passei por tudo isso. Compreendo a desesperança no olhar de alguém que entra em um consultório (mais um consultório de uma série!) e que espera ao menos encontrar compaixão. É doloroso sentir a frieza que acompanha palavras sorridentes ao indicar um tratamento, uma frieza que indica que talvez a dor não passe e que é necessário esperar. É terrível ouvir: "Tome esse remédio e, se não melhorar, volte aqui." Você não suporta esperar mais um minuto, quiçá dias, para poder retornar, ou é taxado de paciente-problema porque aparece todos os dias em um pronto-socorro, sem encontrar alívio ou resposta.

Quem tem dor não carrega uma doença; é a própria doença. É um ser humano único, exclusivo, portador de um sintoma que pode indicar uma doença comum ou não, mas que se manifesta singular. O paciente precisa de respeito: é esse o primeiro sentimento que pode elevar uma autoestima sofrida e trazer à tona a esperança necessária para encarar os inúmeros degraus da escalada da recuperação.

Nessa jornada, aprendi com meus mestres que é preciso primor no diagnóstico. É preciso estudar muito, mas é preciso também cuidado ao examinar e ao assistir o paciente. A dor é um sofrimento humano. E afeta o ser humano como um todo. A dor precisa de empatia e de compreensão. A dor precisa de atenção e de um olhar holístico. É necessário ver o paciente como um todo, e esse todo vai além da doença e do corpo, inclui suas emoções, seu ambiente de vida, as pessoas ao seu redor, o trabalho e a espiritualidade.

Na minha experiência, são muitas as pessoas que passam por vários profissionais de saúde até descobrir o que realmente têm; e, ainda assim, falta-lhes esclarecimento. Não é fácil ter dor.

Este livro foi escrito para que todas as pessoas que sofrem descubram as 50 coisas mais importantes sobre a dor. São dicas preciosas que saíram de casos como os que aqui estão descritos, inclusive minhas experiências pessoais como paciente. Não importa se é a cabeça, as costas ou a barriga que dói. Essas 50 coisas são aspectos comuns às dores. São informações objetivas que podem auxiliar a todos, crianças ou idosos, qualquer que seja o diagnóstico, qualquer que seja a duração da dor. A base do que escrevi é a minha vivência, sempre acompanhada das informações científicas que li e que produzi. Não há nada excessivamente técnico, pois minha prática mostra que o que as pessoas realmente precisam saber para ter menos dor não são detalhes fisiológicos ou médicos. São questões objetivas que as tornam independentes. Aqui estão os segredos universais que vi e vivi e que não estão em nenhum livro. A linguagem é simples, clara e acessível, não somente para ajudar você a buscar ajuda, mas também para que possa efetivamente se ajudar.

Ao longo dos últimos séculos, sobretudo nas últimas décadas, a medicina tem avançado no sentido de compreender que o paciente não só pode como deve participar de escolhas terapêuticas sempre que possível; trata-se do respeito e da ética profissional. Cada um tem direito de saber sobre a própria saúde e sobre quais riscos e benefícios, quais alternativas viáveis e quais pequenas ou grandes mudanças do dia a dia podem repercutir na saúde, no sofrimento e na dor.

Aqui está tudo que qualquer um precisa saber para cuidar melhor de sua saúde e evitar a dor, prevenir crises, buscar ajuda e compreender efeitos analgésicos e colaterais. Afinal, seu corpo é singular, autônomo, e está ligado a uma personalidade individual, com uma história única, uma genética, uma forma de enfrentar e de se emocionar.

Este livro é quase um manual, pois serve de material de consulta e ferramenta para quem quer assumir as rédeas da própria saúde, participando mais ativamente dos tratamentos propostos.

Informações técnicas sobre a dor são bastante abundantes, mas poucas são de cunho prático e adaptadas ao dia a dia. Este texto não foi feito para confundir, mas para contar as entrelinhas. É mais do que uma mensagem, pois possibilita a própria esperança.

Silviu R. D. T. Siqueira

Agradecimentos

Esta obra é uma compilação de perguntas e informações para os pacientes que têm dor. Foi feita a partir da minha experiência como especialista, baseada na minha formação e no aprendizado que tive pelos meus mestres.

Todo trabalho é uma continuidade que compõe um tijolo de conhecimento para a humanidade. Assim, agradeço a todos os que me fizeram pensar e refletir, e a todos os que me entusiasmaram com sua forma de lidar com os pacientes, com o brilho no olhar e com conhecimento. Agradeço aos pacientes, pessoas inteiras que têm a queixa *dor* presente e que buscam por diagnóstico, tratamentos, alívio e compreensão. E aos alunos que me escolheram para participar de suas formações, pois com eles eu também aprendo, e desenvolvemos muitos trabalhos em conjunto.

Agradecimentos especiais aos mestres Manoel Jacobsen Teixeira, Lin Tchia Yeng, e em especial ao meu principal mestre, que tenho a felicidade de ter como pai, José Tadeu.

Aos meus familiares, em especial à minha mãe, Irene, ao meu irmão, Márcio, ao meu companheiro e incentivador, Rogério, e a Natalia, minha filha. E também à Dona Rosa. Vivo aprendendo sobre relacionamento, confiança, apoio e suporte com vocês.

Para aprender não tem idade, e talvez as coisas mais profundas geralmente não venham do conhecimento, mas da sabedoria. É preciso estar atento às coisas mais sutis e às palavras mais simples. Agradeço a Deus e peço para permanecer atenta. Agradeço pela dádiva da vida.

Silvia R. D. T. Siqueira

Sumário

1. Afinal, o que é dor e como combatê-la?, 1

Casos reais, 5

Diagnósticos e atitudes que mudaram vidas, 5

Caso 1. Qualquer sintoma pode fazer a diferença, 6

Caso 2. Dor de difícil tratamento pode mudar de acordo com a postura mental, 7

Caso 3. Driblando a dor para atingir objetivos, 8

Caso 4. A dor não pode parar a vida, 9

Caso 5. Uma única dor de cabeça, três doenças, 10

Minha experiência como paciente da dor, 11

2. Afinal, o que todo mundo precisa saber sobre dor?, 15

1. Dor é uma especialidade em saúde, 16

2. Dor faz parte de todas as especialidades, 17

3. A dor é algo bom, 19

4. Dor foi feita para durar pouco, 20

5. A dor é uma sensação do corpo, 22

6. As sensações dos cinco sentidos se relacionam entre si, 23

7. A dor gera sensações fantasmas, 25

8. A maioria das pessoas tem dor e não busca ajuda, 26

9. Dor crônica pode ser curada?, 27

10. Acidentes e traumas nem sempre são acompanhados de dor, 29

11. Quem tem dor precisa de repouso e afastamento?, 31

12. O tratamento da dor inclui a permanência de dor residual, 32

13. O paciente precisa participar do tratamento, 34

14. Você deve enfrentar a dor que tem, 36

15. O tratamento da dor inclui o efeito placebo, 38

16. Dor é emoção, 41

17. Dor é cognição, 42

18. A dor muda o comportamento, 44

19. O estresse está ligado à dor?, 45

20. A dor é afetada pela alimentação e medicamentos?, 47

21. Não apenas evite o repouso físico, evite o "repouso mental", 49

22. Mantenha o corpo e a mente ativos, mas evite a sobrecarga, 50

23. Devo parar de trabalhar?, 52

24. Você pode ajudar o profissional no diagnóstico, 54

25. O que pode ser a causa da dor?, 56

26. Diagnóstico é clínico, e exames são complementares, 57

27. Nem sempre o que está no exame tem a ver com a dor, 58

28. Dor crônica pode ser prevenida?, 60

29. Quanto antes aliviar a dor, melhor?, 62

30. Posso ter mais de uma causa de dor ao mesmo tempo?, 63

31. Os tratamentos precisam estar adequados às causas e à dor, mas também aos pacientes, 65

32. Os tratamentos precisam estar adequados ao tempo de dor (aguda ou crônica) e aos processos locais e neurais da dor, 66

33. Medicamentos não são a única forma de tratar a dor, 68

34. Tratamentos e mudanças que parecem dar mais trabalho ao paciente podem ter efeitos no longo prazo, 70

35. Cirurgia geralmente não é, mas pode ser a primeira opção, 71

36. Dor crônica pode ser agravada por procedimentos que causem dor, 72

37. Atitude e participação no tratamento podem mudar a história da dor, 74

38. Otimismo ou pessimismo influenciam a dor?, 75

39. O enfrentamento da dor é individual e relacionado ao ambiente, 77

40. O sono pode ser afetado ou afetar a dor, 78

41. Não é porque a pessoa não reclama que não tem dor, 79

42. Como os aspectos espirituais influenciam na dor, 81

43. A diferença sexual da dor é biológica, 82

44. O envelhecimento, a infância e a dor, 84

45. Cicatrizes de dor, 85

46. Conversar com quem tem dor pode me ajudar?, 87

47. Grupos educativos podem me ajudar?, 89

48. Entender a dor reduz a ansiedade, 90

49. Escreva sobre a dor, 91

50. A dor poderá flutuar, 92

3. Conclusão, 93

4. Glossário de termos, 95

1

Afinal, o que é dor e como combatê-la?

A dor é um problema que afeta cerca de 50% das pessoas. Esse número é assustador e está relacionado, ao menos em parte, com a vida moderna e o estresse diário aos quais estamos submetidos.

Apesar de haver especialistas em dor, ainda são poucos, e a dor ainda não é disciplina obrigatória na maioria dos cursos de saúde.

Como é a dor que leva os pacientes aos hospitais, muitos deles acabam demorando para encontrar o diagnóstico e o tratamento mais adequado e sofrendo bastante. Muitas dessas pessoas passam por inúmeros profissionais e têm de aprender a lidar com a dor que sentem apesar das dificuldades.

Depois de anos convivendo com os pacientes que sofrem, percebi que não são somente os profissionais de saúde que precisam saber mais; os pacientes necessitam de informações e têm dúvidas. Além disso, há algo que eles nem imaginam, mas precisam saber. Há algumas questões bastante comuns e outras nem tanto, mas procurei contemplar neste livro as 50 coisas mais importantes que todos os pacientes devem saber para entender melhor sobre sua dor e participar ativamente do diagnóstico e do tratamento.

Em geral, a dor aguda (aquela que dura até três meses) precisa da identificação de uma causa. Já a dor crônica (aquela com mais de três meses) tem de ser considerada como uma doença. Infelizmente somos inclinados a acreditar que a dor sempre tem uma causa e nunca é a própria doença, e aí está uma das raízes do problema. Causa é a pedra no rim, a pedra na vesícula, a torção de tornozelo, a fratura óssea, um tumor, a diabetes, a menstruação (na cólica menstrual), a distensão dos tecidos durante o parto. Nesses casos, o paciente vai ao pronto-socorro ou ao médico do consultório e encontra uma causa, e a resposta está em algum exame e na avaliação clínica. Entretanto, há quem tenha dor e que foi aos médicos, mas não encontrou uma resposta pronta; os exames estão sem nenhuma alteração. Acredite: esses são maioria. Como posso, então, sentir dor se não há nada de errado comigo? No caso, a dor é como a própria doença. Em se tratando de doença, as alterações são microscópicas, estão nos microcircuitos de condução nervosa, nas moléculas, em membranas celulares, e os exames não conseguem ver isso, ou dão resultados inespecíficos, o que frustra o paciente.

Alguns locais do corpo costumam sofrem mais com a dor: a cabeça, que inclui toda a face; as costas; as pernas. Não é difícil encontrar quem tenha tido, ao menos uma vez na vida, dor de cabeça; dor de cabeça não é diagnóstico, pois há mais de 300 causas de dor de cabeça! Algumas são corriqueiras e comuns, como aquelas enxaquecas que acometem mulheres no período pré-menstrual; outras são estranhas, transformadas, compostas por mais de um diagnóstico. Dores musculoesqueléticas estão entre as mais frequentes (tanto na cabeça quanto nas costas e pernas), das quais destaco as lombares, aquelas relacionadas ao pescoço e dores temporomandibulares, ou de ATM, muito semelhantes entre si, porque decorrem de pontos gatilhos em músculo (aquelas "bolinhas" duras e doloridas que percebemos ao apertar o músculo), estão associadas a esforço excessivo, sedentarismo, questões ergonômicas, anatômicas, e que podem ou não envolver ossos e articulações.

Outra dor na cabeça bem comum é a dor de dente. Afeta um terço das pessoas, ao menos uma vez na vida. Dor de dente costuma ser insuportável: não deixa a pessoa dormir à noite. Entretanto, há dores no dente causadas por problemas neurológicos ou neuropáticos, como o choque ao tocar no dente, na gengiva ou na face, típico da neuralgia do trigêmeo.

Dor na barriga também causa dúvida e complicação, afinal há tantos órgãos nessa região (estômago, intestinos, rins, fígado, pâncreas, bexiga, útero). Sobre esta, relato a minha experiência pessoal neste livro. A confusão para interpretar a dor aumenta ainda mais quando são vários diagnósticos no mesmo indivíduo. Pode ser que a pessoa tenha enxaqueca com dor de dente, neuralgia com dor de ATM, dor muscular das costas com pedra nos rins. São causas e mais causas de dor, mas a pessoa sente uma única dor, inteira, que não conta seus fragmentos.

Todo mundo que sente dor quer saber o que tem e resolver prontamente, e quem não tem dor quer evitar de todo modo sentir qualquer incômodo. No entanto, a dor é sinal de alerta e, nesse sentido, é inevitável, é boa. Quando dura até três meses, a chamada dor aguda, ajuda a indicar um problema para que você procure ajuda. Mas, quando o tempo passa e ela se torna crônica ou vira doença, é difícil ter cura; o mais comum é controle e administração ou prevenção de crises. Não precisa ficar desanimado, porque é assim em toda a medicina: doenças reumáticas, pressão alta, colesterol alto, diabetes, entre tantas outras não têm cura, e sim controle. Assim, o objetivo final ao tratar a dor não envolve uma fórmula mágica ou algo de curto prazo, como tomar antibióticos por sete a 10 dias e se livrar para sempre de uma infecção. Pode-se obter alívio, mas, ainda assim, o sintoma pode persistir. O que se deseja é propiciar ao paciente uma vida normal, lidando da melhor maneira possível com o problema e mantendo a dor sob controle.

A dor não é somente física, mas pode ser considerada como tal, já que as emoções são processadas no cérebro. Por vezes, o sofrimento psíquico também é importante deflagrador de dor, e isso é bastante conhecido em reações alérgicas, doenças de pele, dores de estômago, dores nas costas e de cabeça. A dor é assim: há uma predisposição genética, algum fator anatômico a mais, uma sobrecarga, a exposição a um ambiente insalubre, aspectos inerentes de personalidade e acontecimentos que geram emoções incontroláveis; tudo isso se soma em um dado momento e lugar, e então aparece a tal da dor que não passa.

Não bastassem a porção de doenças que causam dor, a genética, os aspectos psíquicos, o meio social, ainda há o processamento da dor em si. No nosso corpo, a dor acontece em princípio por dois mecanismos básicos: inflamação e condução neural (ou componente neuropático). Inflamação é uma resposta a uma lesão: como a dor que acontece devido a pedras nos rins (as pedras ferem os tecidos renais), fratura óssea, cólica menstrual (inflamação devido à descamação do endométrio), dor muscular aguda ou crônica (após um esforço físico intenso ou mau jeito, ou ainda persistência de sobrecarga em áreas do músculo, há lesão das fibras musculares e dor), enxaqueca (há liberação de substâncias que inflamam as meninges do cérebro, causando dor).

A dor pelo mau funcionamento nervoso é relativamente simples de entender. É como um curto-circuito nos fios condutores. Há algum problema neural, muitas vezes molecular e microscópico, que atrapalha o sistema e faz o indivíduo sentir dor sem haver razão para isso. Nesses casos, é o sistema elétrico que está com problema. Isso acontece em várias situações de lesão do próprio sistema nervoso que conduz a dor, como pelo diabetes, por um trauma (acidente ou cirurgia) que cortou terminações nervosas ou nervos inteiros, alguma alteração da bainha de mielina, que é a capa que protege os nervos e os deixa "desencapados". Pode ser ainda que ocorram inflamação e disfunção neural, e isso é muito comum na dor crônica. Devido ao longo período de exposição à dor e inflamação, o próprio sistema nervoso se altera e fica sensível, manifestando mais dor e sofrimento. E por que entender isso? Porque todos os tratamentos da dor crônica visam diminuir a inflamação e "controlar" a condução nervosa que causam dor.

Assim, fica claro que a dor pode ser entendida como qualquer doença crônica (e entre os exemplos mais comuns estão a diabetes e a hipertensão) que aparece quando há uma somatória de inúmeros fatores genéticos, sociais, ambientais, psíquicos etc. Além disso, não é só no aparecimento que ela se assemelha a essas doenças: é também na prevenção, nas formas de tratamento. Não bastam medicamentos; podem haver outras formas, como mudanças de estilo de vida, para lidar melhor com a nova situação. Um bom exemplo disso são os casos de doenças por esforço repetitivo, que causam dor nas mãos e nos braços e que precisam de adaptação, redução das horas de exposição, alongamentos periódicos, entre outros.

Além de fazer o tratamento direitinho, a dor crônica precisa de atitude do paciente perante a doença e perante a adaptação necessária de seu estilo de vida. É preciso mudar para ter uma vida bacana e próxima da normalidade, e é por isso que a esperança reside em tornar-se o senhor da sua dor, o gestor da sua saúde, responsabilizando-se em parte pelas escolhas ao conhecer muito bem o que se sente e o que pode ser feito para evitar mais sofrimento.

O ser humano é adaptável e capaz de lidar dignamente com seus problemas; não só pode como deve envolver-se em seus tratamentos e em suas condutas no dia a dia, afinal trata-se da própria saúde, e no futuro será o herdeiro de todas as consequências. É possível e necessário o desenvolvimento da resiliência para enfrentar e superar os problemas que acompanham a dor, e isso se inicia com a postura e forma de pensar sobre si mesmo.

Para compreender melhor essa jornada de esperança, apresento-lhe no próximo capítulo alguns casos que marcaram a minha experiência e que exemplificam muito bem o que eu quero dizer.

CASOS REAIS

Diagnósticos e atitudes que mudaram vidas

Alguns dados das histórias aqui apresentadas, incluindo nome, idades e outras informações irrelevantes à questão da dor, foram modificados, para que não sejam identificados. Através delas, passo ao leitor comprovações do gerenciamento da dor e da mudança possível da própria vida. São experiências reais, verdadeiras: pessoas humanas que têm dor.

▶ Caso 1. Qualquer sintoma pode fazer a diferença

Marcelo, 48 anos de idade, pai de três filhos adultos e independentes, vive com a esposa em uma casa térrea. Apresentava uma dor no rosto muito forte, que começou espontaneamente havia cinco anos. Consultou-se com quatro profissionais da saúde (médicos e dentistas), sendo que não havia melhora. Marcelo é aposentado, distrai-se em sua oficina durante o dia, mas tem ficado cada vez mais irritadiço, o que não poderia ser diferente com essa dor. É fumante inveterado e apaixonado por doces, o que associa a alguns episódios de vômitos intensos durante as madrugadas e que pioram a dor. Marcelo foi diagnosticado com dor facial atípica, mas não melhorou com os antidepressivos e anticonvulsivantes (medicamentos comuns nesses casos). Totalmente dependente da esposa, está desanimado e sem esperança.

Assim era a história desse paciente quando chegou para ser avaliado; pelos seus sinais, de fato havia uma dor facial a esclarecer; porém, alguns aspectos chamavam a atenção, principalmente os episódios de vômitos noturnos. Marcelo não estava com o *check-up* de saúde em dia, e, considerando que a dor facial atípica só pode ser assim chamada se outras causas forem excluídas, foram feitos exames de sangue, radiografia de tórax e radiografia panorâmica da face, além da avaliação clínica. Marcelo também foi avaliado pelo gastroenterologista que solicitou endoscopia, especialmente porque havia queixas de vômitos, mas não somente por isso: dores que se originam do tórax podem se manifestar na face (principalmente na região de mandíbula), e isso é bem conhecido no caso de dores cardíacas que se irradiam para a mandíbula ou para o braço esquerdo, mas também pode acontecer para partes altas do estômago e do esôfago.

Os exames fizeram sentido: chegamos ao diagnóstico de um câncer justamente onde o esôfago encontra o estômago, e o tumor foi devidamente tratado. Trata-se de doença grave, e o tempo estava a favor, pois foi imediatamente encaminhado. O paciente e a esposa foram acompanhados para que mudanças em suas rotinas alimentares e atividades do dia a dia fossem realizadas. Preocupado com lapsos de memória, o paciente foi também avaliado pelo neurologista, que identificou um declínio cognitivo, responsável em parte pela irritação de que Marcelo se queixava. Parou de fumar, começou a passear com o cachorro, mudaram-se de casa, a esposa passou a ter um tempo para cuidar de si mesma, e a vida voltou a se iluminar.

Marcelo tinha uma dor comum, que não melhorava, e visitou inúmeros médicos em busca de alívio. Havia algo diferente, exótico: vômitos noturnos, queixas de memória e irritação. O fator diferente merece ser investigado, e cada pista pode ajudar na identificação do problema quando se fala de algo subjetivo como a dor. Esses sintomas precisam ser compreendidos e podem ser peças-chave no caminho para o diagnóstico e tratamento corretos.

▶ Caso 2. Dor de difícil tratamento pode mudar de acordo com a postura mental

Mariana, 78 anos de idade, pode ser considerada uma mulher vitoriosa e jovem. Sua boca começou a queimar intensamente havia 17 anos, e ela foi a inúmeros dentistas e médicos tentando descobrir a causa. Teria um câncer? Uma doença dentária? Não havia nenhum sinal de nada; a língua parecia saudável, os dentes também. Ela é dedicada e escovava cuidadosamente a cada refeição. Mariana ficou preocupada. Afinal, desde sempre cuidou da alimentação: não comia gorduras, evitava os doces. Dormia sempre na mesma hora para descansar bem o corpo e fazia caminhadas e ioga três vezes por semana (sua flexibilidade era de dar inveja em qualquer adolescente sedentária!). Fazia *check-ups* frequentes nos seus médicos de rotina (geriatra, ginecologista), orgulhosa de não precisar tomar nenhum medicamento e não ter nenhuma doença aos quase 80 anos de idade. Alegrava-se quando se surpreendiam ao descobrir sua idade, uma vez que aparentava ter 60 anos.

Mariana tem síndrome da ardência bucal, uma doença que pode afetar mulheres após a menopausa e que causa muito desconforto, apesar de nada haver de errado na boca (visivelmente saudável). Os exames também aparentam normalidade, e isso assusta qualquer pessoa, que passa a pensar que deve ter algo a descobrir e que pode ser grave. Mariana está tratando da dor com os medicamentos existentes, e o alívio é parcial. Mas já descobriu o que pode ou não comer e que piora a dor; descobriu como limpar a boca para não incomodar mais e manter a saúde; sabe muito bem que tem uma vida jovial e preenchida de significado, e que não vai ser essa dorzinha que vai derrubá-la. Ter aprendido sobre a dor ensinou Mariana a administrá-la melhor. Não se derruba nas crises, mas procura ajustes de doses de remédios e alternativas que a auxiliam e lhe trazem de volta ao equilíbrio e à normalidade. Ser normal para ela é continuar ativa, assim sente-se realizada.

▶ Caso 3. Driblando a dor para atingir objetivos

Ana Clara, 18 anos de idade, extraiu os dentes do siso durante o primeiro ano de faculdade. Porém, algo inesperado aconteceu: o siso inferior direito deu trabalho para sair, a cirurgia foi longa, e a anestesia nunca mais passou. Somente depois de um ano, Ana Clara descobriu que tinha uma dor neuropática pós-traumática e que havia tratamento para isso, porém existiam grandes chances de necessitar de acompanhamento para o resto da vida. Para ela, o importante é apagar o quanto possível essa dor para continuar na luta. Afinal, estava no primeiro ano da faculdade e queria chegar longe. Determinada, cheia de planos e sonhos de trabalhar em grandes empresas, tinha um namorado e vida típica de uma jovem cheia de vida.

Conheço Ana Clara há sete anos. Sua garra sempre me estimulou a ajudar outros pacientes a se espelhar no seu exemplo para seguir em frente. Ter um problema de saúde não é ser o problema de saúde. Pela definição de saúde da Organização Mundial (OMS) "saúde é bem-estar físico, psíquico e social", e Ana tem isso de sobra. Ela depende de medicamentos, mas tem uma vida plena, terminou a faculdade sem nunca ter sido reprovada em nenhuma disciplina, foi logo escolhida como estagiária em uma grande empresa onde recebeu o convite para ficar e tem um futuro promissor de uma carreira brilhante. Casou-se recentemente e está feliz. Não é uma dorzinha que vai tirá-la do caminho; a jovem dribla e gerencia. E olha que dor neuropática não é uma dorzinha qualquer. Ana sabe disso, mas sabe que tem muito mais coisa para fazer de seu futuro. Ela tem futuro.

▶ Caso 4. A dor não pode parar a vida

Juliana tem 30 anos de idade. Começou a ter dor há um ano e meio, durante um tratamento dentário, e desde então a dor nunca mais parou. Refez tratamentos como restaurações e canal, mas nada adiantou. Seu caso foi diagnosticado como odontalgia atípica, uma dor parecida com a de Ana Clara, porém aqui o trauma é menor, em terminações nervosas, durante os tratamentos.

Juliana é ansiosa e sabe disso. Quer tomar as rédeas da casa, é ombro amigo dos familiares, cuida dos pais, é atenciosa com o marido, mas está sempre preocupada em estar bem, em nunca falhar. Mais ou menos na época em que a dor começou, fez consultas com o ginecologista porque não conseguia engravidar e descobriu os ovários policísticos e a indicação para a inseminação artificial ou fertilização *in vitro*. Começou o tratamento para a dor com medicamentos, mas uma angústia não a deixava melhorar: e o sonho de ser mãe? Como poderia engravidar tendo de tomar esses medicamentos todos? A dor, ou melhor, o tratamento da dor, estava atrapalhando seus objetivos, causando-lhe sofrimentos.

Então, o tratamento precisava ser adequado aos seus planos. Para tanto, estabeleceram-se uma meta, um prazo de tempo, um acompanhamento para enfrentar essa fase difícil. Quatro anos se passaram. A dor melhorou muito quando houve essa abordagem mais holística. E ela agora está grávida. Sabe que tem de enfrentar eventuais crises, mas encontrou equilíbrio entre a existência da dor, o tratamento e o seu caminho. Um exemplo do que é cuidar do paciente, muito mais do que oferecer apenas analgésicos. É ajudá--lo a voltar à vida.

▶ Caso 5. Uma única dor de cabeça, três doenças

Ângela tem 55 anos de idade, e sobrevive há 11 anos com uma dor de cabeça terrível, que ela diz incurável. Tentou de tudo: inúmeros especialistas, inúmeros medicamentos. Sem melhora, ou com melhora parcial. Sua face é de desespero, tristeza e angústia, mas não quer perder as esperanças. Cuida de netos, tem um marido, gosta da vida que leva, nos poucos instantes que passa sem dor.

Quando foi questionada sobre como é a dor, ela aponta ao redor do olho direito, fala que piora quando mastiga. Passa um dia sem dor para cada dois dias com dor intensa. Nas crises, o olho fica caído, aparenta estar mais triste ainda e às vezes fica avermelhado. Para piorar, não pode tocar no rosto porque vem um choque que se mistura com tudo o que sente na face. Já tratou dor de ATM, enxaqueca, não melhorou. Mas claro: não se aventou a hipótese de que tudo isso acontecia no mesmo lugar e ao mesmo tempo: Ângela tem uma dor de cabeça prima da enxaqueca (hemicrania paroxística), uma dor temporomandibular muscular e uma neuralgia do trigêmeo, tudo junto.

Muitos pacientes são assim, como Ângela; têm diversas dores embora sintam somente uma dor terrível. Para diagnosticar, é preciso encontrar o especialista, o que não é fácil. E para se manter no tratamento, é preciso compreender que essas dores são crônicas e podem ser controladas, mas não serão definitivamente curadas: há o risco de novas crises, e o tratamento é necessário.

Melhorando das dores, melhora o sintoma, e Ângela pode voltar para sua vida pacata, pois além de tratada, compreendeu seu problema como ele é.

MINHA EXPERIÊNCIA COMO PACIENTE DA DOR

Todos nós, profissionais de saúde, precisamos ter a humildade de saber que nada sabemos sobre sentir a doença na própria pele, mesmo que tenhamos visto centenas e centenas de pacientes. Não posso dizer que sei o que é ter uma neuralgia do trigêmeo, porque não sei. Eu sei reconhecê-la, e já a vi inúmeras, mas não faço ideia de como é a sensação em si. Até que o destino quis me pregar uma peça e me apresentar o lado do paciente. Não em uma dor na face, mas na barriga, como nunca senti igual.

Era madrugada, e acordei. Havia um incômodo abdominal, dor apenas, mas suficiente para me impedir de dormir novamente. Rolei na cama, vi as horas: duas, depois três e meia, levantei e tomei um analgésico, tentei dormir mais uma vez. Mas o tempo não passava e eu pouco descansava. Às cinco, tomei outro remédio. Fechava os olhos e a dor voltava. E foi às seis da manhã que percebi que precisava de ajuda.

A dor era tanta que eu não conseguia sair da cama, tampouco queria ficar na cama porque qualquer posição era incômoda. Arrastei-me até a cozinha, tentei comer, não conseguia; nada tinha de fome, nem forçando. Nada mais sentia, era somente a dor. Chamei um táxi, era incapaz de dirigir, e fui ao pronto-socorro. Lá, fizeram exames, disseram que nada havia, me deram medicamentos na veia e a dor aliviou. Voltei para casa contente apesar da falta de diagnóstico, iria repousar para no dia seguinte começar novamente minha rotina.

Mas que nada! Passaram-se apenas 2 horas sem dor, e ela logo recomeçou: igualzinha, desesperadora, incapacitante. Não resisti e tomei mais um medicamento: nada. Ia de mal a pior. Sem fome, sem outro sintoma. Somente a dor. Tive de voltar ao médico no final da tarde porque estava vivendo uma tortura, mas lá mais uma vez não houve esclarecimento: apenas buscopan e analgésicos na veia, uma receita, repouso, sem diagnóstico.

A segunda noite foi pior do que a primeira, porque não houve nenhum descanso. Rolei e rolei na cama, tomei remédio pela madrugada, tentei inúmeras posições, dormir no sofá, e nada. A dor sempre voltava. Teria ficado feliz se soubesse que aquela seria a última noite de sofrimento e mal imaginava que iria completar uma quinzena assim. Que ironia! Acostumada em tratar dor dos outros, não conseguia me ajudar adequadamente nem encontrar ajuda. Não dormia e não comia, perdi cinco quilos. Tentei adivinhar o que piorava a dor, não descobria, parecia que nada fazia sentido: posição do corpo, tipo de alimento (que eu tentava comer, mas não conseguia), horário dos medicamentos. Passei a vomitar, principalmente nos momentos de pico de dor. Fui a uns três especialistas, sem diagnóstico. Não havia nada de grave, diziam, passavam os remédios de sempre e não conseguiam me dizer se iria passar ou não, nem quando, nem o que era. Fui trabalhar que nem um zumbi, pois não queria desistir. Quem sabe eu me distrairia? Péssima decisão, pois não conseguia ficar em pé, dirigir; senão eu chorava. Ficar na cama é pior, eu pensava, já que a dor não passava. Não tinha decisão: era só desespero mesmo.

Procurei informações onde podia: livros médicos, artigos científicos, sites de sociedades e associações médicas. Muito havia sobre dores que precisam de intervenção abdominal pelo risco, mas nada sobre as outras, que fui descobrindo que são mais frequentes do que se imagina. Ouvi um monte de histórias de conhecidos, bem-parecidas. Alguns achando que era frescura. No décimo segundo dia, acabei sendo internada e passei três dias tomando medicamentos na veia e investigando doenças mais raras. Fui muito bem atendida, mas ainda sem diagnóstico. Até que percebi que a dor principal estava diferente, espalhando-se para os lados, e descobri também uma dor muscular nas costas.

A dor principal havia desaparecido! E a dor nas costas era secundária: eu precisava voltar à vida normal urgente. Fiz novas consultas, ficou por isso mesmo. Teria sido uma virose com manifestação diferenciada? Provavelmente nunca vou saber. Mas o que aprendi com isso é como o paciente se sente quando volta inúmeras vezes ao mesmo serviço hospitalar porque a dor não passou, e nem sempre é acolhido. Sei o que é sair de um pronto-socorro com menos dor e estar na mesma duas horas depois. Sei como é sentir algo destrutível, mas nada aparentar, pois dor é subjetiva. E, por conhecer os mecanismos de cronificação, consegui agir a tempo de não virar doente crônica quando as costas começaram a ficar afetadas.

Embora tenha faltado orientação, acho que o pior foi não ter um nome para dar ao que eu tinha, nem um prognóstico, ou o que esperar. Se alguém tivesse dito, por exemplo: "Serão 10 a 15 dias de dor e você terá de esperar tomando os analgésicos, depois tudo se resolverá e os sintomas passarão", eu teria ficado mais tranquila e teria aguardado. Nada disso aconteceu, e ainda levantaram hipóteses de ser algo da minha cabeça (dor psicológica!?), o que eu tenho certeza de que não era, pois eu realmente senti.

A boa notícia é que já faz tempo, era uma dor aguda e desapareceu. E também é bom pensar que me ajudou a compreender mais ainda o lado de quem sofre. O paciente não pode ser subjugado. Tampouco se devem poupar palavras para esclarecer e consolá-lo, assim como todo o tratamento que pode e deve ser proposto. Esta é a verdadeira arte de cuidar, é o verdadeiro humanismo da medicina. É algo tão essencial quanto o próprio tratamento e que escapa às palavras, pois não pode ser explicado ou aprendido: é sentimento que toca e transforma e que pode definitivamente mudar.

2

Afinal, o que todo mundo precisa saber sobre dor?

Tenho certeza, leitor, de que você se viu em alguma dessas situações. Os casos aqui apresentados (inclusive o meu) são meros exemplos entre inúmeros outros, tantos quanto há pessoas que já tiveram alguma dor e que buscaram ajuda. Na vida, todos querem sentir-se plenos, realizados, sair em busca de sonhos e objetivos, ou simplesmente manter uma rotina satisfatória. A dor mostra uma perda de algo: a paz mental, a saúde, a segurança. Ela também alerta para o nosso próprio valor, esquecido no piloto automático diário. Aliviar a dor é mais do que um objetivo em si: é tornar-se apto a realizar os outros objetivos de sua vida, ir atrás da sua missão. A dor mora dentro de um indivíduo e precisa ser compreendida como tal.

Busca-se tratamento, mas também tratamento adequado àquela pessoa, a partir de um diagnóstico(s) correto(s). Quem tem dor quer um nome para a sua dor, quer saber qual será o percurso, quer saber se há opções e quais os riscos e benefícios escolhidos. Os 50 itens aqui escolhidos são chaves nessa busca para que você compreenda seu sintoma, como funciona o sistema de saúde para alívio da dor, como gerenciar suas crises e o que o futuro lhe reserva quando há dor crônica presente.

1 Dor é uma especialidade em saúde

A maioria dos profissionais de saúde precisa lidar com a dor. É a dor que muitas vezes leva o paciente para o médico e para o pronto-socorro, e é ela que precisa ser aliviada ou tratada. A dor é um sintoma de que há algo errado e que precisa ser resolvido. É preciso descobrir o que há; e, dependendo de onde dói, o paciente procurará um especialista. Sendo assim, fica fácil entender que todo profissional de saúde deve saber sobre dor, não é? Deveria. Mas, como a dor não é de nenhuma <u>especialidade específica</u>, poucas são as aulas que falam da dor na faculdade, e poucos os profissionais que conhecem os procedimentos necessários no diagnóstico da dor. Se for algo comum e simples, talvez esteja tudo bem. Mas, se sair da regra, começam a aparecer os problemas.

E o problema é que, apesar de as exceções serem por definição raras, elas aparecem. Muitas vezes não são bem diagnosticadas; outras vezes, mal abordadas; e, acima de tudo: não são manejadas como precisam ser para evitar a cronificação e melhorar o sintoma no longo prazo. Nossa, falei difícil, não é? Mas este livro é para que você, paciente, o maior interessado, entenda sobre isso.

Apesar de a dor ser um sintoma simples, trata-se de um processamento complexo. Não basta entender a causa, devem-se entender os processos neurais relacionados à dor e, mais ainda, deve-se entender o paciente. É preciso entender o que acontece no cérebro de quem tem dor. É preciso ter uma visão abrangente.

Enquanto cada vez mais surgem especialidades na saúde (a ponto de ouvirmos comentários como: "Médico especialista em dedo do pé!" Ou: "Dentista especialista em dente da frente!"), a dor, embora abrangente, ainda é uma especialidade. Infelizmente, há uma tendência de achar que otorrino não vê paciente, vê nariz e ouvido; oftalmo não vê paciente, vê olho; dentista não vê paciente, vê dente. Cada um vê sua parte do corpo e sua doença, e esquece o todo.

Ironia do destino, a dor acaba como especialidade dentro das especialidades. Aí tem dentista que entende de dor, oftalmo que entende de dor, neuro que entende de dor, fisioterapeuta que entende de dor, e por aí vai. O que você tem de saber é que, para entender da dor, tem de ter estudado sobre dor. O que não está na maioria dos cursos da faculdade.

Apesar de especialidade, nem sempre a dor de um paciente precisará de uma equipe inteira para que seja tratada, mas a equipe com certeza é necessária para os encaminhamentos quando necessários.

No final das contas, uma doença está causando a dor em uma pessoa única, que vive uma vida única (em um universo social, familiar, profissional, cultural, emocional) e que processa tudo isso em suas redes neurais únicas de maneira exclusiva. Não adianta saber somente sobre a doença, ou sobre a pessoa, ou sobre o processamento. Deve-se entender como tudo isso se interage. Pois no final das contas vai vir alguém cujo único sintoma muitas vezes é a dor.

Sendo assim, parece fácil, não é? Basta buscar o especialista em dor. Mas não é bem assim, e veremos o porquê.

2 Dor faz parte de todas as especialidades

Ainda que haja o especialista em dor, e que este seja procurado principalmente por alguém que tem uma dor a esclarecer, no dia a dia a dor estará nos prontos-socorros, nos consultórios e nos hospitais. Quantas visitas médicas não são feitas por portadores de dores de cabeça, dores de dente, dores de barriga e afins? Quanta dor não estará presente em quem acaba de fazer uma cirurgia, qualquer que seja? Quantos serão os idosos, as crianças pequenas e pacientes especiais que sentem dor e não conseguem expressá-la corretamente por outras limitações que possuem?

Sendo assim, entender dor é obrigação de todos os profissionais médicos, em suas respectivas áreas de atuação. A dor estará lá, mesmo que não seja o fator principal. Sem falar na importância de diminuir a dor de início recente como prevenção da dor crônica, de longa duração, que pode ser mais difícil de ser aliviada.

A dor piora quanto maior for o medo da dor. Podemos sentir a dor do outro somente ao imaginar. E, ao mesmo tempo, podemos achar que "nem dói tanto assim" e subestimar o que o outro sente. Uma pesquisa que orientei há alguns anos de uma aluna obstetriz demonstrou que os médicos obstetras acreditavam que a dor que as mulheres em trabalho de parto sentiam não era "tudo aquilo". E que elas apenas chamavam a atenção. Ao medir a dor delas, esta era claramente maior do que o que os profissionais acreditavam.

Ora, se aqueles médicos deveriam lidar com esta dor e nem mesmo eles acreditavam no que as pacientes diziam, como poderiam aliviar o seu sofrimento?

Inúmeros são os relatos de pessoas que passam por procedimentos odontológicos, dermatológicos ou outros e que ouvem a frase "só mais um pouquinho, aguenta mais um pouquinho" sem haver uma forma de alívio para o que elas sentem. Estas coisas não podem ser mais aceitáveis, porque quem espera pelo procedimento tem medo de sentir dor.

Outro bom exemplo diz respeito às dores musculares tão comuns, que são vistas diariamente em prontos-socorros de ortopedia. No caso em questão, o paciente tinha uma fratura de fêmur. Porém, o médico achou que era muscular apesar da história de longos dois meses com dor e do tratamento com anti-inflamatórios sem nenhuma melhora. Este paciente foi informado que voltasse para casa e mantivesse o tratamento. Pois bem, se a dor não havia melhorado, como justificar a continuidade do tratamento? Se não há justificativa, há algo errado. E essa pessoa conseguiu descobrir o que tinha somente porque insistiu ao procurar outros profissionais.

Nesse contexto, não há a necessidade de um especialista. Há, sim, a necessidade de saber avaliar os tipos de dor, e também de empatia, de conhecimento e de segurança – por qualquer profissional.

Por incrível que pareça, passar meses buscando o tratamento pode não somente agravar o quadro em si e trazer complicações, como também perpetuar aquela dor, tornando-a crônica. Ao menos é o que indicam as evidências. Trata-se da cronificação da dor, que pode gerar impactos no futuro e no longo prazo.

Com o tempo, a dor não permanece a mesma; ela muda. Altera o cérebro de quem sente dor. Por isso, preveni-la e aliviá-la rapidamente pode mudar a história do paciente.

3 A dor é algo bom

Por incrível que pareça, dor é algo bom: é um sinal de alerta, indica que algo não vai bem. É o caso da dor que chamamos de aguda, aquela que tem curta duração (começou há pouco tempo, menos de três meses). A dor que começou recentemente é um alarme. Indica algo errado. Indica que é preciso verificar o que está anormal. Muitos animais na escala zoológica têm formas mais simples de sensação de dor justamente por esta ser uma condição essencial a vida. Ou ao menos à sobrevivência.

Imagine a seguinte situação: durante uma caminhada, você sente uma dor no dedo do pé; logo, tira o sapato e percebe que havia uma pedra. Ao retirar a pedra, a dor passa e você se protegeu de ter se machucado. Ou, morrendo de fome, você dá uma garfada em um prato de comida e o leva à boca – porém está fervendo! Rapidamente, tira o alimento e previne uma queimadura. A dor é um bom sinal, que lhe ajuda a perceber injúrias e prevenir consequências.

Podemos ter mais certeza ainda disso quando nos deparamos com o fato de que existem pessoas que nascem sem a capacidade de sentir dor. Elas sofrem com diversos tipos de problemas desde os mais simples (como cicatrizes em mãos e pés) até queimaduras graves, fraturas ósseas que não são percebidas e doenças graves em órgãos internos que acabam levando à morte. Essas pessoas dificilmente atingem a idade adulta, e menos ainda a terceira idade.

A dor é um sinal de alerta tão importante, que conseguimos de certa forma sentir a dor do outro. E nos surpreendemos com alguém que nada sente. Durante minha vivência profissional, tratei alguns pacientes que não sentiam dor; para mim, era impressionante tratar os dentes de alguém que não precisava de anestesia. Mais ainda, quando houve a necessidade de um tratamento de canal, que deveria ser acompanhado de dor terrível, nenhuma expressão pode ser percebida no rosto da paciente.

Essas pessoas que não sentem dor muitas vezes acabam, enquanto jovens, se submetendo a experiências ousadas e desafiadoras para se gabar dos olhares admirados dos amigos que não acreditam que eles conseguem fazer aquelas coisas (como pulos de lugares altos, agulhas na pele, brincadeiras com fogo, entre outros). Se eles não sentem dor, não percebem que aquilo pode fazer mal.

Perda de sensibilidade por alguma doença também pode causar os mesmos efeitos. E isso não acontece somente com doenças raras. A diabetes, muito comum na população, compromete as sensações e por conta disso podem acontecer lesões nos pés, por exemplo. Tudo pela perda da sensação da dor. Isso sem falar no quanto a perda da sensibilidade pode ser incômoda. Já reparou o quanto é chata a anestesia de dentista?

Sendo assim, ter as sensações mantidas, em especial a dor, é importante para nos mantermos saudáveis. Faz parte da sobrevivência.

4 Dor foi feita para durar pouco

Como dor é sinal de alerta, assim que identificado o problema o alarme deveria ser desligado. A dor foi feita para durar pouco tempo. Assim que condições são dadas ao organismo para resolver o que houve, ou a causa é retirada, a dor deveria ir embora com o problema que a causou. Ou logo após.

Porém, na prática, vemos uma porção de pessoas que permanecem com dor por longos períodos de tempo, muito mais do que os três meses iniciais da dor aguda. E isso se deve a duas possibilidades: ou a causa não foi compreendida e retirada, ou a causa se resolveu mas a dor não foi embora. Se a causa ainda está lá, precisa ser tratada, mas, mesmo assim, a dor precisará de tratamento específico para ela.

Isso ocorre porque a dor, como qualquer outra sensação do corpo, vai registrando memórias no cérebro de quem sente, e essas memórias vão ficando cada vez mais consolidadas à medida que o tempo passa. A memória da dor aguda, aquela que começou há pouco tempo, passa com a remoção da causa de dor. A memória da dor crônica, aquela que dura meses ou anos, pode ficar mesmo quando não há mais a causa.

Nesse caso, controla-se essa memória cerebral com vários tipos de tratamento. Mas a memória dificilmente desaparece. Como andar de bicicleta, depois que aprendemos, a memória fica lá. Mesmo que não precisemos mais. Não dá para desaprender.

A dor crônica passa a ser uma doença – como são doenças a hipertensão, a diabetes, o hipotireoidismo. Como doença crônica, como as doenças citadas, não há cura e, sim, controle. Para hipertensão tomamos medicamentos que controlam a pressão, para diabetes controla-se o "sintoma" glicemia, e para a dor crônica são os analgésicos. Além disso, todas as pessoas que têm doenças crônicas precisam mudar seu estilo de vida (incluindo alimentação, atividade física etc.). E, como doenças crônicas, podem ocorrer outras enfermidades ou complicações ao longo do tempo se o problema original não for bem tratado. Uma pessoa com hipertensão pode ter um AVC. Uma pessoa com diabetes pode ter pé diabético. E uma pessoa com dor crônica pode ter síndromes musculoesqueléticas, por exemplo.

As pessoas com dor precisam entender que têm a doença *dor*. Precisam entender que se trata de um distúrbio do funcionamento do organismo. Originalmente a dor foi feita para durar pouco, assim como há uma pressão ideal e uma glicemia ideal no sangue. Algumas pessoas, por vários fatores (incluindo genética, hereditariedade, aspectos relacionados ao trabalho, às emoções, ao ambiente), desenvolvem doenças crônicas e a dor é uma delas.

5 A dor é uma sensação do corpo

O aspecto mais simples da dor é o fato de ser uma sensação. Ela é parecida com o tato, com a sensação da temperatura (fria e quente) e também com a visão, olfação, gustação e audição.

É importante separar a sensação pura da sua modulação, que inclui a interpretação do que é sentido e o significado. A dor tem um aspecto sensitivo, mas também tem aspectos emocionais e da interpretação da dor. É sinal de algo ruim, que pode trazer consigo as informações do local onde dói, a intensidade, as características, a distribuição espacial da dor. É como o sabor azedo, que sinaliza azedo na língua no contato com determinado alimento.

Todas estas sensações existem como meios de o organismo perceber o que está acontecendo no ambiente que o cerca. São as "janelas" através das quais o organismo vê o que tem em volta. Elas percebem estímulos de várias naturezas (químicos, térmicos, mecânicos) e os classificam de acordo com suas características.

Cada sensação, depois de percebida, vai ser processada pelo computador central – o sistema nervoso central. Esse processamento permite que as sensações sejam elaboradas na forma que a percebemos (o que vemos, o que ouvimos, o que cheiramos, o gosto que sentimos e as sensações da pele, entre outras). Essas sensações são também avaliadas (se são boas, ruins, perigosas, agradáveis), associadas ao que acontecia no momento (em termos de fatos, pessoas, locais, emoções) e armazenadas como memória.

A dor é exatamente igual a todas as outras. Ela começa como uma sensação incômoda, é processada e elaborada e vai se transformando na dor que sentimos. Não dá para dissociar uma coisa da outra. E é por isso que dor é sofrimento físico, psíquico e social.

A diferença entre a dor e as outras sensações é que cheiro, paladar, sensações tácteis, térmicas e coisas que ouvimos e vemos podem ser agradáveis ou não, mas a dor sempre é desagradável para quem sente. A não ser que exista um distúrbio, a dor é ruim para as pessoas. É a sensação única de algo errado. Pode ser um problema mecânico (uma pressão muito intensa, um corte), uma temperatura que passou dos limites (uma queimadura ou frio muito intenso) ou um problema químico (como na inflamação).

Muitas vezes, estímulos que gerariam outras sensações (calor e frio, tato) passam a ser doloridos porque foram muito intensos.

Por ser uma sensação relacionada à percepção do ambiente, ela é mais precisa quando se trata do ambiente externo (por isso a percepção de dor na pele é tão delimitada). Porém, ela também percebe o meio interno, mas, nesse caso, é bem menos definida (como as cólicas intestinais ou menstruais, as dores musculares e as dores de dente).

6 As sensações dos cinco sentidos se relacionam entre si

Durante o processamento das informações sensitivas, há um cruzamento de dados que faz parte da elaboração consciente e subconsciente da percepção do ambiente. Quando pensamos em uma maçã, por exemplo, conseguimos visualizar o formato e a cor (visão), a textura (tato), o odor (olfato), o sabor (gosto e cheiro), o barulho da mordida (audição) e emoções relacionadas à maçã (lembranças positivas ou negativas). Também são percebidos sentimentos relativos à maçã (um encontro agradável onde havia torta de maçã; a infância etc.). A dor também entra nesse processamento.

Para ilustrar, basta pensarmos como se processam as sensações durante a alimentação. Inicialmente, há estímulos visuais e olfativos que auxiliam a discriminar se a comida é boa ou ruim, saborosa ou não, ou eventualmente nociva. Ao mastigarmos, muitas fibras sensitivas das quais não nos damos conta são acionadas para que os movimentos de mastigação e deglutição sejam integrados e ocorram de forma perfeita. Essas fibras também ajudam para que não ocorram lesões nos dentes, ossos ou músculos (como no caso de haver um caroço no meio do alimento). E elas enviam informações para que a saliva seja produzida de forma adequada. Ao mesmo tempo, podemos estar alegres ou tristes, bravos ou calmos, e isso vai influenciar na forma que percebemos os alimentos.

Ao comermos, valorizamos bastante a sensação do paladar. Mas não pense que gosto é apenas a gustação ou, ainda, a integração da gustação com o olfato, apenas. Já reparou quanto aromatizante tem em alimentos industrializados? Veja como o olfato é importante para sentir o gosto de alguma coisa. Mas o sabor é algo ainda mais elaborado.

Além do cheiro e dos sabores básicos (azedo, salgado, amargo e doce), cada combinação é uma experiência única. Além disso, há a temperatura do alimento, a textura (macio, crocante, áspero, duro, mole) e até sensações de dor (como aquelas provocadas pelas pimentas – arde, não arde?). Não nos damos conta de tamanha integração sensitiva que acontece.

Agora, imagine que, dentre todas essas modalidades sensitivas integradas para sentir o sabor de algo, uma delas esteja com problemas. Pode ser que essa modalidade esteja funcionando a mais ou a menos, ou de forma errada. Já imaginou o que pode acontecer? Vai alterar o paladar como um todo. E pode provocar gosto fantasma. E pode comprometer o prazer de alimentar-se. Quanta complicação!

A integração sensitiva é muito complexa e depende do funcionamento de sistemas que associam as percepções com a memória e com as emoções no sistema nervoso central. Após esse processamento, são geradas experiências e memórias novas, que ficam armazenadas e podem ser lembradas no futuro (de forma consciente ou inconsciente). É por isso que você fica saudoso quando sente o cheiro da macarronada da vovó, mesmo que ainda não tenha se dado conta de que o que está no ar é o cheiro de uma macarronada.

Dentre os problemas sensitivos que podem provocar alteração da formação das memórias sobre as experiências sensitivas, está a dor. Ela também gera sensações fantasmas, sensação de diminuição de paladar, sensação de dormência, ou outras (dependendo do caso e do local da dor).

Quanto mais memória alterada, mais alteração no sistema nervoso, o que pode intensificar a sensação da dor. Quanto mais dor, mais alteração de memória, e mais problemas sensitivos podem ser percebidos, o que gera um ciclo vicioso que precisa ser interrompido.

7 A dor gera sensações fantasmas

Sendo uma sensação como outras (tato, visão, gustação, olfação, audição, temperatura etc.), e dependendo do processamento cerebral, a dor pode ser uma sensação fantasma. Neste caso, é como se ela estivesse totalmente localizada no sistema nervoso, que interpreta o ambiente como sendo hostil, apesar de não ser.

A dor como sensação fantasma é um problema de processamento, e, dentre os tipos de dor, está no grupo das dores neuropáticas. Em geral, dor neuropática é a dor de maior dificuldade de alívio por meio dos tratamentos atualmente disponíveis. Dependendo do tipo de problema de processamento e do sintoma que a pessoa sente (formigamento, queimor, choques), um tipo de medicamento poderá ser utilizado, muitas vezes sem alívio completo.

Porém, de modo geral, quando há problema no processamento da dor, isso interfere na percepção de outras sensações, porque elas interagem entre si, como explicado anteriormente. Afinal de contas, o cérebro não separa o que sente, mas soma tudo e interpreta. Por isso, a disfunção do processamento da dor pode causar inúmeras sensações sensitivas como perda de sensibilidade táctil, mudanças na percepção do frio e do calor e sensações do tipo fantasma.

Quando a dor é na boca, pode haver inclusive sensações fantasmas de outros sistemas sensitivos, como gosto ou odor fantasma, gosto metálico, alteração do paladar, zumbido e alterações auditivas e visuais.

Quando fiz o doutorado, em que observei o efeito da neurocirurgia do nervo trigêmeo para a neuralgia do trigêmeo, fiquei bastante surpresa com algumas das queixas que os pacientes apresentavam. Havia queixa de perda de paladar, de olfato, distúrbios visuais e auditivos, zumbidos e gosto fantasma. Ora, os pacientes haviam sido operados do nervo trigêmeo, cuja parte sensitiva está relacionada ao tato, à temperatura, à dor e não a estas sensibilidades especiais. E eram elas que eram as queixas.

Isso mostra que, ao alterar as sensibilidades do tato, da temperatura, e da dor pela cirurgia, as outras sensibilidades estavam com problemas. E tudo isso por processamento central. A dor, a temperatura e o tato deviam ser importantes para definir o gosto, o cheiro, a imagem e a audição.

Da mesma forma, se houver dor crônica, com o tempo essa alteração de percepção pode afetar a sensação das outras sensibilidades e gerar sensações anormais ou fantasmas.

8 A maioria das pessoas tem dor e não busca ajuda

Muitas pessoas sentem dor, como vimos, aproximadamente metade da população. Não é difícil constatar que este número está correto; é só olhar ao seu redor. Quem não sente ou não conhece pessoas que têm dor nas costas? Dor de cabeça? Dor no pescoço? Cólica menstrual? Isso para citar algumas das mais comuns. Porém, boa parte delas "vai se virando" e não procura tratamento porque não sente necessidade.

O que explica isso? Será que essas pessoas deveriam procurar ajuda, senão poderão ter consequências graves no futuro? Ou seria isso completamente normal?

Se considerarmos normal aquilo que se apresenta na maioria da pessoas, então ter algum grau de dor esporádica é normal. E isso nos leva às primeiras perguntas deste livro, que mostram que a dor é um bom sintoma, um sinal de alerta, necessário para a sobrevivência.

Uma pesquisa que realizei recentemente indicou que mais de 60% dos entrevistados apresentavam dores e não buscavam tratamentos médicos. Dor eventual todos temos, em algum grau. A dor passa a ser ruim quando afeta a qualidade de vida, quando compromete as atividades, os relacionamentos, o convívio. Quando deprime e incomoda.

Quando a dor é recente, muitas vezes exige que a causa seja encontrada. Pois é um sinal de alerta. Mas, quando dura anos, é esporádica e não incomoda, o que se busca é minimizá-la para que a vida seja normalizada.

Apesar de muitas vezes não ser possível eliminar completamente a dor, é possível controlá-la, gerenciá-la; até em alguns momentos esquecê-la. Todos devemos buscar essa forma de enfrentamento, pois, apesar da dor que sentimos, devemos conhecê-la e tê-la sob controle para viver uma vida normal.

Com vida normal, quero dizer: fazer as tarefas do dia a dia, ter a rotina de trabalho, frequentar compromissos sociais, alimentar-se, dormir, descansar. A vida normal é o ideal de vida de cada um, e é isso que precisa ser alcançado quando se fala em controle da dor. Dor limita, compromete, incomoda, afeta o humor.

A maioria de nós tem alguma queixa de dor e consegue manter o equilíbrio no dia a dia. Sendo a dor comum, de certa forma ela faz parte da normalidade. Quem tem dor não é um ser humano à parte. O que não se pode fazer é deixar a dor afetar o ideal de vida normal e procurar ajuda para que a harmonia possa se reestabelecer. Como o que acontece com tantas outras pessoas que, apesar de suas dorzinhas aqui e ali, vão vivendo e são felizes.

9 Dor crônica pode ser curada?

Enquanto a dor aguda é recente e sinaliza algo que não vai bem, a dor crônica passou a ser a própria doença. Em geral, não pode ser curada. E as pessoas têm dificuldade para lidar com isso.

Acontece que a dor crônica é como outras doenças crônicas que também não têm cura, como os hipertensão, diabetes etc. E, como todas elas, incomoda saber que se tem uma doença que não terá cura e que precisa de tratamentos, acompanhamento e mudanças no estilo de vida que devem ser mantidas para sempre.

O paciente com dor não é diferente de pessoas que convivem com outras enfermidades. Ele também tem uma doença sem cura, que se caracteriza por uma disfunção, e também precisa de acompanhamento. Muitas vezes, deverá tomar remédios de uso contínuo, ou tomar remédios por longos períodos. Até acertar os medicamentos e as doses leva tempo.

Adaptar-se aos efeitos colaterais também é algo que precisa ser enfrentado. E pode haver problemas por conta dos efeitos colaterais que fazem com que remédios como aqueles que previnem as gastrites sejam úteis. Ou aqueles que melhoram a hidratação da boca, porque muitos medicamentos causam secura bucal.

Por outro lado, se eventualmente havia alguma coisa na sua rotina que ajudou a precipitar a dor, ou se a dor causa agora uma limitação, então há a necessidade de adaptação do estilo de vida, individualizada para cada um.

As horas de sono são importantes e necessárias para o descanso. Sabe-se que problemas de sono são comuns em quem tem dores crônicas, e a falta de sono por si só pode causar dor. Além disso, há atividades de trabalho que podem ter de ser limitadas por causa da dor. Alimentos e bebidas podem ter de ser restritos, principalmente naqueles casos em que alimentos desencadeiam ou agravam as crises. Do mesmo modo, devem-se considerar as interações de bebidas alcoólicas com medicamentos.

Outra mudança de estilo de vida importante no controle da dor está relacionada ao sedentarismo, de modo similar ao que precisa ser feito em outras doenças crônicas. Sabe-se que exercícios físicos podem melhorar o sono, o equilíbrio do corpo, a relação com o estresse emocional e a saúde de forma geral. Melhorando tudo isso, com certeza há repercussões também na sensação de dor.

Quem tem dor precisa adaptar sua vida à dor e aos tratamentos. Precisa compreender profundamente o que a dor significa em sua vida, o que ela é, como ela acontece, o que a desencadeia, entre outras coisas. Somente assim a pessoa estará completamente apta para gerenciá-la e prevenir complicações futuras. Fazer isso não deveria ser considerado um fardo, é o que precisa ser feito por tantas outras pessoas que conseguiram superar suas dores crônicas.

A falta de cura deprime, sim, mas não é um problema por si só. Entender e enfrentar o que sente é muito mais importante, pois quem tem dor precisa assumi-la como parte de sua responsabilidade. Independentemente da cura, é possível ficar sem dor, como um hipertenso pode ter a pressão normalizada de acordo com a forma que escolheu levar os tratamentos.

Minha experiência com pacientes que têm dor me mostrou que essa participação ativa é o que pode mudar completamente o curso da doença dor. Há quem seja mais acomodado, ou por falta de orientação ou por característica própria, e prefere buscar um remédio ou tratamento cirúrgico que melhore o sintoma de forma passiva, e há quem sabe que para melhorar terá de fazer algum esforço.

Pois este é um bom ponto de partida ao ser diagnosticado com a doença dor. Busque compreender o que tem e participar do tratamento, não seja passivo; assuma o papel de cogerenciador junto com a equipe médica. Isso se você não quiser assumir o papel de gerenciador principal da dor que sente.

10 Acidentes e traumas nem sempre são acompanhados de dor

Por incrível que pareça, quem sofre de um traumatismo, uma queda ou um acidente muitas vezes não sente a dor que imaginamos que possa sentir. E isso é demonstrado nas estatísticas de dor em pronto-socorro. E acontece porque há um sistema superpoderoso que mora dentro de você, chamado sistema supressor de dor.

Este sistema está o tempo todo em funcionamento. Ele inibe sensações desagradáveis que vêm de diversas partes de seu corpo mas que o sistema nervoso julga como normais e não lesivas, e que portanto não merecem atenção mesmo. Ou, ainda, há algo maior acontecendo naquele momento e que necessita da preservação de suas capacidades, como algo crucial para a sobrevivência, e neste caso a dor sentida somente iria atrapalhar. Vejamos duas possibilidades em um mesmo exemplo.

Imagine que um soldado na guerra sofreu um ferimento grave e *sente* a dor. Ele fica completamente paralisado e à mercê da morte, pois a dor o paralisa e impede que ele tome outra atitude. Agora imagine que, apesar do ferimento gravíssimo, ele *nada sen-*

te e seu cérebro mantém o foco no sentido de fazê-lo escapar do cenário de guerra para algum local mais seguro, onde seja possível buscar a sobrevivência. Qual das duas alternativas parece a mais certa? Claro que é a supressão da dor e a busca por segurança e sobrevivência.

O sistema supressor que salvou o soldado de permanecer paralisado perante a dor está em pleno funcionamento na maioria das pessoas. Pode ser ativado através de várias técnicas. É por causa dele que as pessoas relatam não ter dor após um acidente ou traumatismo.

Esse sistema é o caminho de atuação de diversos tratamentos realizados na dor (medicamentos, acupuntura etc.). Pode até ser que o paciente que tem dor crônica tenha algum defeito no sistema supressor da dor, e, nesse caso, os tratamentos têm por objetivo compensar esse problema (como no caso da fibromialgia).

Faça uma reflexão sobre eventuais traumatismos que tenha passado na vida e, se houver alguma lembrança, você perceberá que muitas vezes a dor não estava lá. Eu mesma sofri um acidente de carro aos 10 anos e nenhuma dor senti naquele momento. Senti dor apenas no momento de retirada dos pontos, semanas depois do acidente, e doeu muito mais do que no trauma e no pós-operatório.

Agora, quando ouvimos uma pessoa relatando um acidente ou um trauma que sofreu, é quase certo que sentiremos a dor como se fôssemos nós os acidentados. Isso acontece porque temos empatia, temos as nossas memórias da dor, e temos como resgatá-las através das emoções e, assim, praticamente sentir como se tivesse acontecido conosco mesmos. Parece irônico, mas é mais fácil você sentir a dor pensando em um acidente em potencial do que o vivendo.

De todo modo, saber disso não é só uma questão de curiosidade. Conhecer esse sistema superpoderoso de supressão de dor pode ser interessante porque ele pode ser usado em seu favor.

11 Quem tem dor precisa de repouso e afastamento?

Quando sentimos a dor, a primeira atitude é nos paralisarmos. Afinal, o alerta induz ao estado de atenção. Procuramos saber o que há de errado, localizar onde está o problema. Além disso, há a sensação de que, se houver movimento, pode haver agravamento do quadro. Paramos as atividades. Mas, quando a dor é crônica, será certo permanecer limitado ou imobilizado?

É claro que, quando as atividades são muito intensas e estão diretamente ligadas à dor ou ao local que dói, precisam ser limitadas. Se houve uma torção no pé, talvez não seja possível caminhar adequadamente. Mas, em linhas gerais, o repouso só é importante em alguns tipos de dor aguda, como dor pós-operatória, ou dor por fratura (que muitas vezes indica a imobilização com gesso ou faixas). No geral, quando se tem dor, principalmente crônica, a regra é: movimentar-se é necessário.

O corpo e a mente precisam permanecer ocupados para que o estado de equilíbrio seja novamente alcançado. A atividade física é necessária como arma para melhorar diversos aspectos hormonais, emocionais e físicos envolvidos na dor. O contato com pessoas, coisas e ambientes, proporcionado pelas atividades de trabalho, de estudo ou de lazer, ajuda no controle da atenção sobre a dor para que você se concentre em outras atividades. Isso é ao menos parcialmente compreendido pelas neurociências e apresenta comprovação.

Sendo assim, apesar da vontade de afastar-se de suas atividades, se não há recomendação, não pare. Isso somente piorará a dor que você sente. E, mesmo quando há a necessidade de limitação, não pare também, mas adapte-se. No caso da dor, raramente o repouso total irá beneficiar. Talvez seja necessária alguma adequação para que as atividades sejam possíveis, mas mantenha-se produtivo em algum grau.

Pode ser que não seja possível correr uma maratona, mas dê uma volta no quarteirão. Talvez você não consiga seguir as oito horas de trabalho, mas quatro ou seis horas trabalhando fariam muito bem. Talvez não possa mais ficar em pé, mas você pode mudar de atividade para fazer o que é possível sentado. E assim por diante.

A manutenção de atividade física ou mental, seja qual for, faz parte da saúde geral e colabora para a qualidade de vida.

A atividade física faz bem para o corpo, para os músculos, para a elasticidade, para os hormônios e até para as conexões cerebrais. As atividades em geral fazem com que sejamos úteis, o que gera uma sensação de satisfação. Se a dor limita as atividades, é preciso que ela seja tratada e controlada para que o estado de equilíbrio retorne, sem necessariamente ficar totalmente parado. Em verdade, condições favoráveis para que a vida em sua excelência se manifeste é que são necessárias.

Portanto, não pare. Mas adapte-se, trate-se, e verifique o que é necessário que seja feito para continuar com um cotidiano de qualidade.

12 O tratamento da dor inclui a permanência de dor residual

Ao menos de acordo com as alternativas de tratamento disponíveis atualmente, em muitas situações de dor crônica não há alívio total. Além de não ser possível a cura da doença dor, muitas vezes algum grau de dor residual ainda permanece presente, porém mais manejável.

Esse aspecto é muito importante, porque muitas vezes o paciente apresenta a esperança de que poderá ficar completamente sem dor logo que iniciar um tratamento, mas as coisas não são bem assim.

Alguns medicamentos precisam de semanas de uso disciplinado, no horário e doses adequadas, para que comecem a fazer efeito. Mesmo assim, às vezes a melhora alcançada é de 30%, 40%. Então, outras terapêuticas são adicionadas, ou os medicamentos são trocados, ou as doses são elevadas, mas é frequente a presença da dor residual.

Por isso, as razões dos tratamentos de uma doença crônica como esta são o retorno do equilíbrio, a possibilidade de realização das atividades do dia a dia que fazem parte da vida da pessoa, e a qualidade de vida. E é por isso que desde cedo o paciente com dor precisa compreender que o foco não deve permanecer no alívio, mas na qualidade de vida.

Nesse contexto, não basta tomar os remédios e submeter-se aos tratamentos. É necessário analisar o que pode ser feito para contribuir com a melhora buscada. O objetivo deve ser aproximar o estilo de vida para que a qualidade se aproxime o máximo possível do estado que se apresentava antes de a dor se iniciar. Para que haja equilíbrio, os excessos são desnecessários, os hábitos precisam ser revistos, e o que causa ou agrava a dor precisa ser controlado.

Muitas vezes, mesmo havendo melhora da dor e suspensão dos tratamentos, momentos de crises podem ocorrer, e o paciente precisa saber que a dor pode retornar; não houve cura, e, sim, controle. Essas crises podem ser prevenidas se o paciente souber o que pode desencadeá-las, e essa dimensão é algo que faz parte da sua participação nesse processo.

Viver com dor residual ou na iminência de crises parece terrível? Depende da perspectiva. Pode não ser tão bom quanto não ter nenhuma dor e nenhuma preocupação, mas é melhor do que continuar com dor de intensidade máxima e incapacitante. É como a velha história tão batida do meio copo cheio ou meio copo vazio. É preciso um olhar mais ativo, mais participativo e mais otimista com relação à melhora parcial que se pode alcançar. Afinal, 10% de melhora é melhor que nada. E 20% é melhor do que 10%.

Eu costumo falar aos pacientes que procurem olhar da seguinte forma: se houve a conquista de 10%, vamos trabalhar para que esses 10% sejam mantidos, e que mais 5% ou 10% possam ser adicionados. Como uma escada, um passo de cada vez. Se você quiser descer os 10 degraus do 100% de uma vez, poderá conseguir, mas é difícil. Mas, se for possível descer devagar, cada passo que der o colocará mais próximo do ideal.

Talvez seja interessante também pensar em tentar não retroceder em seus passos, e o que pode ser feito com esse objetivo. Mas, se houver crise e piora da dor, é possível gerenciar perfeitamente, desde que se tenha o conhecimento adequado e a participação ativa, não passiva, no processo de enfrentamento da dor.

Assim, o paciente pode dominar completamente a dor e administrar a sua vida diante da dor crônica. Não é mais uma vítima, mas um responsável participativo, que pode não controlar tudo, mas modular algumas partes.

13 O paciente precisa participar do tratamento

De modo geral, procuramos os serviços de saúde para resolver nossos sintomas e tratar nossas doenças, e pouco participamos das decisões que são tomadas ou das opções possíveis de tratamento. Claro que a função do médico é diagnosticar e oferecer o tratamento, mas em muitas situações há mais de uma possibilidade de conduta.

É essencial que o paciente participe das escolhas de tratamento, que saiba o que vai acontecer, quais as expectativas, as chances, o prognóstico. Afinal, o tratamento e a doença estão nele. É o paciente quem tomará os medicamentos e enfrentará os efeitos colaterais. É ele quem poderá se submeter a outros tratamentos não medicamentosos, inclusive cirúrgicos, se for o caso. Principalmente estes, que são procedimentos irreversíveis, merecem que o paciente participe da escolha e da decisão, porque complicações e sequelas, embora sejam raras, sempre podem acontecer.

Além disso, como paciente, você pode permanecer atento aos efeitos analgésicos. Deve informar o quanto a dor reduziu e se houve algo que interferiu nessa redução (do seu ponto de vista). Se há algum efeito colateral que lhe é insuportável e que, sendo assim, sua opção seria a de modificar a conduta considerada. Se você não gosta de tomar muitos medicamentos, ou já toma por conta de outras doenças, também tem o direito de opinar com relação às outras possibilidades terapêuticas que poderiam substituir aquela que foi proposta.

Há quem gosta de terapias complementares, e há quem é de, certa forma, mais tradicional. Há quem pode se dar bem com acupuntura ou outro tipo de agulhamento, e quem detesta agulhas. Há quem é favorável a homeopatia, e quem não acredita. Há quem não liga para se submeter a algum tipo de cirurgia, e quem detesta cirurgia e prefere testar qualquer outra opção. Tem quem gosta de natação e hidroginástica, e quem prefere caminhada ou corrida.

De modo geral, existem inúmeras combinações de tratamentos possíveis quando o assunto é dor crônica. E existem inúmeras formas de abordagem. O paciente deve tomar consciência disso, procurar informar-se sobre o tipo de dor que tem, sobre os tipos de linhas terapêuticas, e buscar aquilo que é mais compatível com sua forma de ser. Exceto se for um caso em que não há opção.

Aqueles procedimentos chamados invasivos, como as cirurgias, e que podem trazer modificações irreversíveis são particularmente os que mais precisam ser compreendidos e entendidos pelos pacientes, principalmente quando o tratamento invasivo é do tipo eletivo, ou seja, não é obrigatório.

O indivíduo que escolhe participar de um tratamento e que é instruído sobre todas as possibilidades de sucesso, de insucesso, riscos e benefícios, e eventuais sequelas compreende melhor o processo e enfrentará melhor o que estiver por vir.

Muitas vezes, somos influenciados por familiares, por amigos, ou por outras pessoas em algumas escolhas terapêuticas que poderiam ser desnecessárias ou com as quais não nos sentimos à vontade. O apoio dos profissionais e dos amigos e familiares é muito importante, assim como as relações de confiança e de empatia que essas pessoas desenvolvem conosco enquanto pacientes, para enfrentarmos o problema. Porém, a escolha final precisa ser sua. Mas, se há algum grau de insegurança, procure saber melhor sobre os fatos, conversar com pessoas que tenham passado por aquilo, investigar os riscos e benefícios ou ainda procurar uma segunda ou terceira opinião profissional.

Aliás, de modo geral, ouvir mais de uma opinião é algo bastante interessante no sentido de apoiar o diagnóstico realizado e permitir que haja maior segurança e confiança no tratamento. Dessa forma, você deve saber que é parte ativa no tratamento e que sua participação é primordial para o sucesso e o gerenciamento da dor.

14 Você deve enfrentar a dor que tem

Não tem jeito. Por mais que seria muito mais interessante passar nosso problema para a frente e, a partir do diagnóstico, pensar que o problema é do médico e de sua equipe de saúde, na prática as coisas não são assim: a dor continua sendo sua. Mesmo que você desabafe com as pessoas, ela pode mudar, melhorar, mas ainda está em você. E, sendo assim, não tem como fugir: quem enfrenta é você mesmo.

A dor é um sintoma subjetivo e, mesmo que não fosse, não pode ser imaginada com precisão por quem a trata. A não ser que esta pessoa tenha também dor. E, mesmo assim, pode ser que a dor que ela sente não é a mesma que a sua. E, mesmo que fosse igual a sua, trata-se de outra pessoa. Há aspectos individuais na dor que fazem com que cada pessoa sinta e viva a dor de uma maneira específica.

Portanto, não faz sentido terceirizar sua dor para o outro. A dor apareceu em você por conta da sua predisposição, devido a um ambiente em que você vive, cercado de aspectos emocionais e estressantes, ou não, que fazem parte da sua realidade.

Ao mesmo tempo que parece ser ruim não conseguir expressar por completo ao médico o que você sente, assim como a sensação de que ele não percebe realmente todas as dimensões de sua dor e o impacto que ela causa na profundidade, o lado bom é que você sabe porque está dentro de você. Mesmo que ainda não saiba disso; pois sou eu quem está lhe contando.

Para enfrentar a dor que você sente, é preciso compreendê-la melhor, de forma objetiva. Observar o que aconteceu no passado e o que acontece agora na sua vida. Que coisas estão relacionadas com a sua dor? É preciso verificar o que você faz ou pode fazer para diminuir a dor que sente e melhorar a vida. O lado bom é esse: se você *se* perguntar, você mesmo poderá responder.

Sendo assim, apesar de ser a equipe médica quem diagnostica e trata, quem enfrenta é você, com ou sem apoio externo. Muitas vezes, isso não é dito com toda a clareza e ao paciente apenas se indica a avaliação psicológica.

Na cabeça das pessoas (ao menos de boa parte delas), a indicação de avaliação dessa natureza pode parecer uma mensagem do tipo: "Eu sei que sua dor é da sua cabeça e ela não existe, por isso você deve tratar a sua cabeça." E, então, o paciente pode se sentir sozinho e abandonado, porque parece que ninguém acredita que ele realmente sente dor.

A realidade é que, pensando em como a dor se processa e o que acontece nas memórias em seu cérebro, de fato a dor está na cabeça. E o outro aspecto importante é que, de fato, as emoções têm um papel para desencadear a dor e para desencadear crises de dor. Entende como é diferente? Não é que a dor seja psicológica e não exista; ela existe e tem influência psicológica. E precisa de enfrentamento psicológico.

A partir daí, é por sua conta escolher se prefere a ajuda profissional para isso, ou que linha de abordagem psicológica você mais se adequa, ou se houve empatia com o profissional, ou se você prefere outras formas de enfrentar (lidando com a dor, fazendo meditação, terapias complementares, religião, espiritualidade, ou o que quer que seja que ajude você no enfrentamento). Você vai ter de enfrentar para melhorar; e se sente que consegue lidar com isso a partir do momento em que entendeu essa dimensão do problema, então ótimo. Você captou o que a indicação da avaliação dos aspectos psíquicos quis dizer.

Outro aspecto importante que causa confusão é a indicação de remédios antidepressivos para tratar a dor, muitas vezes prescritos sem explicação. Ora, qualquer pessoa que vá ao médico dizendo que tem dor e sai com uma receita de antidepressivo sem explicações pode erroneamente entender que o médico achou que ela não tem dor nenhuma e que a dor está na cabeça. Há um engano. Os antidepressivos prescritos para dor têm efeito analgésico e não são indicados com o propósito de depressão. Isso deveria ser explicado e entendido para evitar confusões. Se o paciente não captou que o remédio também funciona como analgésico, pode sentir-se desconfiado e acabar não aderindo ao tratamento ou não o fazendo conforme indicado. Como a dor crônica depende de avaliações periódicas, acompanhamento por longo período e eventualmente de retorno para tratamentos adicionais nos momentos em que há crises, se houver logo no início um abalo de confiança do paciente com relação ao médico pelo simples fato de que não foi bem orientado quanto ao papel de um medicamento para o alívio da dor, então tudo o que acontecer depois disso pode dar errado.

No enfrentamento, o profissional deve permitir que o paciente seja o protagonista de sua história, sem paradigmas ou preconceitos sobre como é a melhor forma de fazer isso. E, para que isso ocorra da melhor forma possível, são necessária uma base de confiança e um bom relacionamento.

Esse relacionamento e essa confiança vão além do protagonismo com relação à doença, pois estão relacionados à adesão aos tratamentos. Você faz um tratamento em que confia e que foi indicado por alguém em quem você confia. Como já foi dito, confiando e aderindo ao tratamento, os efeitos poderão ser observados.

15 O tratamento da dor inclui o efeito placebo

Todo tratamento para a dor inclui uma parcela de efeito placebo que não pode ser retirado. Aliás, pelo contrário, o efeito placebo é maravilhoso. É algo muito bom, que poderia ser descrito como o poder da mente, de forma mais leiga ou mística, ou como a liberação de neurotransmissores e mudanças nas ativações das redes neuronais, por conta da crença no tratamento, que resultariam em efeito analgésico.

Se as crenças estão na consciência ou no cérebro, e a dor também, então aí está um prato cheio para que elas interajam. Quando enfrentamos bem o problema que temos, aumentamos a predisposição para esse efeito, e assim potencializamos qualquer terapia que esteja em realização.

Os protocolos de estudo para verificar o efeito de determinado medicamento novo, ou procedimento, sempre necessitam da inclusão de um grupo que seja placebo com o objetivo de isolar esse efeito e controlar sua influência nos resultados observados. E sabe-se que o efeito placebo gira em torno de 30%. Uau, uma em cada três pessoas consegue melhorar apenas por acreditar que o tratamento funciona! Isso é muito valioso, especialmente para o tratamento da dor, que é longo, difícil e muitas vezes deixa dor residual.

Além disso, poderíamos incluir, no capítulo de efeito placebo e de enfrentamento, a chance que os pacientes têm de entender exatamente o que sentem e de compreender o diagnóstico. Muitas pessoas com dor apresentam medos que não são verbalizados, como o medo de ter câncer, ou outra doença maligna; outras vezes, há crenças infundadas relacionadas a questões de ordem mística. Essas coisas não são ditas porque se tem medo de que elas se concretizem caso expressadas em voz alta.

Pois bem: o profissional de saúde precisa compreender essa dimensão da dor sobre o que não é dito e como abordá-lo. É através da informação correta e acessível que o não dito pode ser suplantado. Por outro lado, o paciente com dor também deve fazer sua parte: mesmo que não queira verbalizar ou que não perceba que há medos embutidos, é preciso se informar sobre a dor, o que é, qual a gravidade e qual a expectativa de evolução.

Em muitas dores crônicas, os fantasmas existentes serão dissipados desse modo, e com essa simples diminuição do medo a própria dor diminui.

O medo e a ansiedade são faces importantes da dor e também precisam ser entendidos e controlados para diminuir o sofrimento. Já percebeu quanta "dor" pode ser sentida quando simplesmente ouvimos uma história de acidente ou a descrição de uma cirurgia? Afinal, não é você quem está sendo operado, mas ao pensar sobre a cirurgia praticamente sentimos a dor.

No consultório odontológico, é comum que um dos problemas para controlar a dor do tratamento seja o medo que o paciente sente da agulha ou do motorzinho. E isso está relacionado com as experiências anteriores. Pode ter havido uma experiência traumática de dor quando era criança; um acidente ou uma cirurgia; ou, ainda, o medo e a insegurança que foram desencadeados por um dentista pouco experiente que abordou subitamente uma criança pequena, mesmo que tenha sido apenas para aplicar flúor.

Os medos e a ansiedade agravam a dor. Se forem dissipados, ou se forem infundados (e o paciente entender profundamente isso), ela pode melhorar. A crença no tratamento que será realizado, somando-se à confiança nos profissionais de saúde, pode gerar efeito placebo, aumentando o efeito dos tratamentos propostos.

Isso vale para medicamentos, área em que o efeito placebo é amplamente estudado, mas vale também para cirurgias, fisioterapia, acupuntura, ou qualquer outra terapia alternativa ou não que seja realizada.

Muitos estudos de terapias voltadas para a dor, principalmente aqueles que analisaram inúmeros trabalhos, como revisões e meta-análises, terminaram inconclusivos por falta de estudos que tenham um método correto ou porque o resultado final do tratamento era semelhante ao efeito placebo.

A dor é um sintoma comum, e o campo de desenvolvimento de medicamentos e de outros tratamentos é amplo e precisa de muita evolução para que a dor seja realmente controlada.

Sendo assim, aproveite o efeito placebo. Procure os tratamentos que mais se adequem ao seu estilo de vida, seu jeito de ser, sua filosofia. Procure profissionais de saúde que você considere de confiança. E, na maioria das vezes, é sempre bom ter mais de uma opinião para tirar as dúvidas, principalmente se não houve confiança.

Procurar outras opiniões pode não só auxiliar no diagnóstico preciso, principalmente se o que havia sido proposto como terapêutica não estava funcionando, mas também levar você a conhecer profissionais com outras formas de tratamento mais adequadas ao seu caso e à sua pessoa. E, por fim, isso pode auxiliá-lo a confiar no tratamento para maximizar o efeito placebo, que sempre estará presente e deve ser utilizado de forma positiva.

16 Dor é emoção

Além de ser uma modalidade sensitiva do corpo, que percebe que algo não vai bem, a dor é uma emoção. Vários mapas da dor realizados através de ressonâncias magnéticas apresentaram o que já se esperava: que as áreas de processamento cerebral da dor são as mesmas que processam os aspectos psicológicos. Sendo assim, o conhecimento popular e artístico que define as sensações de perdas sentimentais como dores, por exemplo, está correto. Porque, do ponto de vista do cérebro, dor e emoção são bem a mesma coisa.

Mesmo do ponto de vista da sobrevivência, esse aspecto é importante porque ao sentirmos dor precisamos entender que ela é ruim e que não nos faz bem, justamente para mobilizar o indivíduo a fazer algo contra ela. A dor pode ser um sinal de que há algo ameaçando a vida. Isso é relevante. E o cérebro faz isso: transforma aquele fenômeno sensitivo doloroso em uma sensação ruim justamente para chamar a sua atenção para o caso.

Isso faz todo o sentido quando pensamos na dor aguda, que é aquela de curta duração. O problema maior está, como sempre, nas dores crônicas. As dores agudas precisam de diagnóstico para que sua causa seja entendida. As dores crônicas passam a ser a doença, têm alterações nos circuitos cerebrais e precisam dessa compreensão global e mais complexa. Longos períodos com a sensação ruim da dor podem comprometer profundamente as emoções do indivíduo e predispor a doenças diretamente relacionadas a elas.

Porém, há outro aspecto importante que não se relaciona com a emoção da dor em si, mas com o quanto as outras emoções presentes podem influenciar na manifestação da dor. Parece confuso?

Imagine então que você está muito contente, pois foi aprovado em um teste, ou conseguiu uma vaga de emprego, e sai para comemorar. Naquele dia, você havia saído de sapatos novos, que causavam desconforto, porém somente quando voltou para casa percebeu que seus pés estavam realmente machucados. Fez um curativo, o antisséptico deu apenas uma dorzinha, você pensa "não é nada, vai passar", coloca o esparadrapo, e tudo fica bem.

Agora imagine outra situação: você perdeu o emprego, levou um fora da namorada, e corre o risco de ser despejado porque não tem dinheiro para pagar o aluguel. Naquele dia, ao voltar para casa, você tropeçou em uma pedra: a dor foi terrível. "Era só o que me faltava", você disse. Não conseguiu mais andar direito, o antisséptico doeu à beça, assim como o esparadrapo. Que dia terrível!

Em ambas as situações, a dor foi muito parecida, mas o que o indivíduo sentia por conta de outras coisas que aconteceram modificou a forma de sentir e de enfrentar.

Quem já tem dor há mais tempo e que apresenta a dor controlada também pode ter o descontrole e apresentar crises se passar por momentos estressantes do ponto de vista emocional.

Em muitas das situações, é preciso compreender isso para ajudar no enfrentamento. Nem sempre é possível fugir das emoções, mas aprender a lidar com elas é um grande passo para o alívio da dor.

17 Dor é cognição

A dor é um sinal de que algo não vai bem, e, sendo assim, o que eu interpreto sobre a sensação de dor é que há algum problema. Será uma doença? Um prego no sapato? Um mosquito que me picou? Uma doença terrível que me afeta? Tudo isso é o que podemos chamar de aspecto cognitivo da dor.

Sendo algo ruim, a interpretação é sempre péssima. Ou não. Se batermos o braço em uma parede áspera sem querer e não dermos importância para isso, a sensação ruim pode começar não com a dor, mas com um leve desconforto ou uma coceira (que pode ser considerada um tipo de dor). Então, ao passarmos a outra mão no local agredido, sentimos algo líquido: imediatamente pensamos: será sangue? Assustados, olhamos para o braço: de fato está sangrando... e a dor começa para valer.

Percebe o quanto a atenção e a interpretação do sintoma podem aumentar sua intensidade? Sendo assim, a dimensão cognitiva da dor precisa ser compreendida.

Por outro lado, alguns poucos estudos nessa área mostram que a presença da dor pode mudar o processamento cerebral como um todo, inclusive cognitivo. E os medicamentos usados na dor muitas vezes têm efeitos colaterais ruins na atenção, na memória e na execução de tarefas que dependem de abstração e de raciocínio.

Dependendo do tipo de atividade que você desenvolve, esse comprometimento cognitivo pode atrapalhar sua qualidade de vida e, portanto, precisa ser revisto. Afinal, ninguém quer ficar dormindo o dia inteiro para poder ficar sem dor, não é? Tratar a dor significa melhorar a sua vida, aproximando-a do normal e da sua rotina.

Além da influência dos tratamentos e da dor na cognição, já discutimos anteriormente o quanto o medo de haver uma doença grave não diagnosticada pode influenciar na percepção da dor, e esse aspecto passa também pela dimensão cognitiva. Afinal, a partir do momento em que entendo o meu diagnóstico, as limitações, as possibilidades de tratamento e o que potencialmente está por vir, então eu trabalho a dimensão cognitiva da dor e posso obter alívio.

Em minha vivência profissional, até mesmo a conclusão diagnóstica de um câncer, por exemplo, pode ser benéfica para o enfrentamento do paciente e da sua família. Nada é pior do que meses ou anos sentindo dor e procurando profissionais de saúde com medo de haver algo grave e demorar a obter o diagnóstico. Sabemos que as doenças malignas podem ser curadas se diagnosticadas bem cedo. Ou seja: quanto antes, melhor!

Nada é pior do que a dúvida. Se eu tenho medo do câncer, ou se tive familiares que morreram de doenças graves, isso me preocupa e precisa ser esclarecido. O paciente precisa compreender isso, e o profissional que o avalia também. De alguma forma, o assunto deverá ser abordado e de forma cuidadosa.

Diante da dúvida, pode ainda existir a sensação de que os outros não acreditam na dor que o paciente sente, o que causa desamparo e desespero.

Explicar o diagnóstico de forma clara porém delicada e empática é importante. Se não for decorrente de algo maligno, a dor pode ser parcialmente aliviada pela redução do medo; e, se infelizmente o diagnóstico for ruim, ainda é pior a incerteza. Até porque, ao descobrir, algo poderá finalmente ser feito. E a dor poderá então receber o devido conforto.

18 A dor muda o comportamento

Quando sentimos dor, imediatamente nos tornamos outra pessoa. Podemos tentar permanecer os mesmos, mas fica difícil insistir em uma atividade ou concentrar-se. Às vezes até queremos terminar o que estávamos fazendo e tentamos enganar a dor, dizendo a nós mesmos: "Só mais um pouquinho." Até que ela nos vence, impede o que fazíamos, nos deixa irritados, chateados, mal-humorados.

Ou, então, mudo meu jeito de fazer as coisas por conta da dor. Se dói assim, vou tentar assado. Nós nos adaptamos à dor. E para isso é preciso mudar o comportamento.

A parte boa disso é que mudanças de comportamento podem ajudar no enfrentamento, se encaradas de forma positiva. Trata-se das tentativas de nos ajustarmos à dor que sentimos, e de ajustarmos à dor nossa forma de viver e as coisas que nós valorizamos.

O lado ruim inclui deixar de fazer coisas que eram consideradas importantes por conta da presença de dor, ter dificuldade para completar tarefas, para trabalhar, passar a se tornar uma pessoa queixosa e que reclama muito da dor, ou ainda enfrentar de forma ruim, simplesmente desistindo do que se fazia, antes mesmo de tentar de adaptar, por conta da dor.

Alguns indivíduos podem até mesmo ter medo de sair de casa, de se expor a determinadas situações, e se isolar a ponto de comprometer o emprego, a vida social e a vida familiar. Podem mudar também a forma de andar, de falar, e de se relacionar. Ao se tornarem pessoas que muito falam da sua dor, podem ser evitadas pelos outros. E, se elas não fazem mais tantas coisas quanto faziam antes, nem têm mais tantos assuntos para conversar, e acaba que tudo em sua vida passa a girar em torno da dor.

Quando a dor passa a ser central na vida do paciente, sair pode acontecer somente por conta de consultas médicas. Os pacientes podem depender de alguém para acompanhar. Eles podem viver reclamando. Ou, em vez de sempre reclamarem, eles podem se tornar quietos, isolados e depressivos.

É natural mudarmos o comportamento quanto há dor, porém algumas dessas mudanças podem agravar ainda mais os problemas, ao passo de que outras podem ser somente adaptações. Perceber o que está acontecendo e saber o limite saudável da mudança de comportamento é algo que pode ser assumido pelo paciente que tem a dor como parte das formas de gerenciamento do que sente. E como forma de "termômetro" da dor.

Porém, nesse caso, as pessoas mais próximas e que também sofrem as consequências daquela dor precisam também estar atentas não só às mudanças de comportamento, que podem sinalizar algo, mas também àquelas que são deletérias e que poderiam ser evitadas.

19 O estresse está ligado à dor?

Todo mundo percebe que tem dor quando está mais estressado. Quem não se queixa de dor de cabeça, dor nas costas, dor no pescoço tanto quanto for maior o estresse emocional? Curiosamente, quando temos problemas de qualquer tipo, é comum os chamarmos de dor de cabeça. O importante é saber que há várias formas em que o estresse atua influenciando a percepção da dor.

A mais conhecida delas é a influência emocional direta. Com a preocupação, o nervoso e a irritação, há a criação de uma situação perfeita para que a dor se instale em quem tem predisposição. Ou, ainda, é a situação perfeita para que apareça uma crise em um paciente de dor crônica controlada.

Outro aspecto bem conhecido é a influência que o estresse causa na contração muscular em geral. Apertamos os dentes quando estamos estressados. Contraímos o pescoço. Não dormimos muito bem de tanta preocupação, e o sono acaba não sendo restaurador, deixando os músculos também incomodados.

Outros aspectos, porém, embora menos populares, são igualmente importantes. Estão ligados principalmente ao desequilíbrio hormonal que o estresse desencadeia. A liberação de hormônios do estresse resulta em contração dos vasos sanguíneos, contração muscular, aumento da pressão e da frequência cardíaca, mudanças no funcionamento da rede neuronal e desequilíbrio de neurotransmissores e alterações nos padrões de sono e de controle da fome. Sendo assim, além de um efeito direto do estresse através do desbalanço emocional, há um efeito físico direto que leva à dor. A resposta imunológica também fica alterada e infecções podem ser mais frequentes.

O estresse é uma resposta positiva que apresenta importância biológica, prepara o indivíduo para a luta ou para a fuga. Foi feito para durar pouco, assim como a dor.

Quando ele passa a durar muito e se torna crônico, pode gerar problemas graves. O corpo sente diretamente a alteração de suas funções básicas, e, se houver predisposição para uma doença, poderá aparecer. Entre elas, está a dor.

Cada indivíduo tem uma forma de lidar com o estresse, e cada um tem um grau diferente de resistência às pressões. Se olharmos para os pacientes que tem dor, percebemos que eles muitas vezes têm histórias de fatores que levaram ao estresse e ao sofrimento, que causaram uma série de anormalidades físicas e biológicas com comprometimento do corpo em algum grau.

Algumas das histórias de dores de difícil controle que vi começaram em momentos de extrema ansiedade e de cobranças, principalmente internas, do indivíduo com relação a si mesmo. Às vezes, uma determinada situação que o indivíduo gostaria de mudar permanecia, e ele nem mesmo percebia onde estava a raiz do problema. Ou, ainda, nem havia uma gravidade tão grande, mas o indivíduo apresentava dificuldade em enfrentar a situação – o que pode facilitar o aparecimento da dor. Para tanto há quem precise de ajuda profissional, há quem conte com familiares e com parentes ou consigo mesmo. E essa autoanálise precisa ser feita.

Em outras palavras, o que pode fazer a diferença entre os indivíduos é não somente reconhecer o papel que o estresse pode apresentar em suas vidas, mas também entender o limite de cada um e até que ponto a cobrança que se sente vem de si mesmo, e não do meio externo.

Hoje em dia, a sobrecarga de estresse e de ansiedade aumentou porque vivemos em um mundo moderno, que exige respostas rápidas. Antigamente uma carta demorava dias ou semanas para chegar, e a resposta era escrita com cuidado e voltava depois de meses. Hoje, escrevemos um *e-mail* e queremos que a pessoa responda no mesmo dia, senão na mesma hora. Não há mais nem tempo para que ela processe o que foi dito, ou ainda, para que encontre tempo entre tantas outras coisas que precisa fazer para responder àquela solicitação.

Talvez os prazos não possam ser modificados, mas a nossa atitude perante eles, sim.

20 A dor é afetada pela alimentação e medicamentos?

A alimentação influencia a saúde como um todo, e não poderia ser diferente com relação à dor. Em alguns casos, isso é fácil de perceber, como em algumas dores de cabeça desencadeadas justamente perante o consumo de determinado líquido ou alimento. Há pessoas que sentem dor de cabeça quando tomam vinho, quando comem chocolate ou quando tomam coisas geladas. E há também pessoas que têm dor na boca, esôfago ou estômago e que têm sua dor afetada por condimentos, pela gordura ou por açúcares.

Porém, é importante saber que algumas carências de vitaminas, por exemplo, também podem predispor à dor. E isso é particularmente mais importante nos dias de hoje, com tanta disponibilidade de alimentos altamente processados, com altos índices de colesterol e sódio, mas que não fornecem a variedade de substâncias que os alimentos menos processados podem fornecer.

Algumas das carências vitamínicas e minerais que podem ser associadas à dor são as deficiências de vitamina B12 e D e as anemias por deficiência de ferro. Sendo assim, alimentar-se de forma balanceada pode ser uma forma de prevenir a dor. Além disso, cuidados com relação aos alimentos que podem desencadear as crises também são importantes, dependendo do diagnóstico que o paciente apresenta.

Por outro lado, há diversos medicamentos usados para tratar doenças como hipertensão, diabetes, doenças neurológicas, aumento de colesterol no sangue, câncer, AIDS, entre outras, e que podem causar dor. Diante da presença de dor, é importante fazer uma análise cuidadosa sobre o que você come e quais medicamentos utiliza, para que a dor possa ser tratada ou prevenida.

No caso das doenças mais comuns, como a pressão alta ou colesterol alto, é frequente que o indivíduo não se considere doente porque a pressão ou colesterol foram normalizados pelo tratamento, e o paciente não sente a necessidade de falar sobre o caso. Porém, todos os remédios que são tomados e todas as doenças preexistentes precisam ser informadas, porque esses remédios e doenças podem interferir de alguma maneira na dor.

Além disso, é importante lembrar que muitos são os medicamentos considerados inofensivos, como chás e fitoterápicos, mas que também causam alterações no organismos e que precisam ser informados ao seu médico.

Mas a influência direta que a doença ou os medicamentos possam ter na dor do paciente não é o único problema. É possível que alguns dos efeitos colaterais observados causem dor de uma forma indireta. Na minha experiência com pessoas que têm dor na boca, muitos medicamentos causam diminuição da salivação, o que é um problema comum que agrava a sensação de dor na boca em muitos indivíduos.

Assim, não basta prestar atenção apenas à dor em si e aos fatores diretamente relacionados, mas também a outros aspectos relacionados ao estilo de vida, como a alimentação, além da atenção aos medicamentos que são utilizados de forma contínua.

21 Não apenas evite o repouso físico, evite o "repouso mental"

Quando se fala em qualidade de vida e em prevenção de doenças crônicas, os exercícios físicos são sempre apontados como uma excelente alternativa para uma vida mais saudável. Eles melhoram a circulação, o coração, melhoram a memória, equilibram a secreção de hormônios, melhoram a função digestiva e mantêm a elasticidade do corpo.

Exercícios físicos e atividade física em geral são altamente estimulados quando o assunto é dor crônica, respeitando-se as limitações de cada um. Porém, quando há dor crônica, devemos evitar não somente o repouso físico total como também o "repouso mental".

As pessoas que têm dor crônica muitas vezes não só ficam imobilizadas do ponto de vista físico, mas também param de pensar em qualquer outra coisa ou se interessar por qualquer outro assunto que não esteja ligado à dor. É claro que a dor está ali presente, muitas vezes reforçando sua existência, mas mesmo em momentos de intervalo da dor é como se a expectativa girasse em torno do que pode desencadear a próxima crise. Ou qual medicamento pode ser a próxima alternativa. Ou o que se pode ou não fazer.

Quem tem outras doenças crônicas dificilmente se preocupa tanto com elas como quem tem dor. Não que não devesse se preocupar (porque se preocupar implica também mudar aspectos da vida para prevenir crises futuras, por exemplo), mas quem tem pressão alta, por exemplo, toma os remédios que o médico indicou, faz os controles periódicos, cuida da alimentação e das atividades (ou não), e vai vivendo sem se preocupar tanto com isso. A dor não é bem assim. Afinal, fica lembrando a quem tem dor que ela está ali. Quem tem pressão alta muitas vezes não percebe que a pressão ficou alta. Quem tem glicemia alta muitas vezes não percebe que está com a glicemia alta. Mas quem tem dor sempre percebe que a dor está ali.

Porém, se dor é sensação, e se sensação depende da atenção, então distrair-se da dor é crucial para minimizá-la. Quanto mais eu pensar na dor que acaba de aparecer, mais ela pode aumentar. Como no caso do braço machucado com sangue, que descrevi anteriormente. Se eu chamar a atenção, pode doer ainda mais.

Assim, não só permanecer em atividades físicas pode auxiliar de diversas formas a melhorar a percepção da dor e melhorar o enfrentamento, como também qualquer atividade em geral (ler, escrever, ver filmes, trabalhar etc.) pode auxiliar na manutenção da mente ocupada. E mente ocupada não dá espaço para pensamentos desnecessários ou inapropriados. Como o próprio medo da dor, o medo da limitação, a sensação de que a dor nunca vai melhorar, a sensação de que a pessoa não poderá participar de atividades ou eventos porque está com dor, entre tantas outras formas negativas de se pensar sobre a dor, o que somente a piora.

Em outras palavras, mantenha a mente ocupada, com coisas boas e úteis. Traga para sua vida atual a vida normal que você sempre levou, traga coisas que contêm significados para você. Não deixe de fazê-las – apenas se adapte.

Se houver alguma lacuna, pode ser que a dor preencha esse espaço. Não permita.

22 Mantenha o corpo e a mente ativos, mas evite a sobrecarga

Para enfrentar a dor, além da postura física e mental necessária no sentido de adaptar o indivíduo a uma vida o mais próxima possível do normal, deve-se considerar que os excessos são desnecessários.

A dor é acompanhada de disfunção do sistema nervoso que processa essa sensação e que guarda as memórias. Esse sistema está relacionado a uma porção de áreas nervosas que estão envolvidas também no processamento das emoções. Além disso, há os aspectos locais que podem ter auxiliado no desenvolvimento da dor naquele paciente. Aspectos externos como cirurgias, atividades repetitivas, problemas posturais, entre outros, contribuíram para o início da dor. Sendo assim, falamos em procurar qualidade de vida retornando a uma rotina o mais próxima possível do normal da pessoa; entretanto, sempre considerando as adaptações necessárias para evitar a sobrecarga do sistema e que gerariam mais dor.

Em minha vivência, vi pacientes que apresentavam problemas posturais da cabeça associados à dor que sentiam, e alguns deles tinham relação com o trabalho que executavam. Falamos em manter o corpo e a mente ativos, o que não impede que essa atividade seja realizada de outra forma, diferente daquela a que o paciente estava habituado e que talvez até tenha facilitado o aparecimento da dor.

Infelizmente, nem sempre é possível continuar realizando qualquer tipo de trabalho, mesmo com adaptações, e algumas vezes pode ser necessário o afastamento ou a redução da jornada de trabalho. Ou, ainda, o afastamento total do indivíduo pode ser substituído pela execução de outras funções de trabalho que não envolvam os fatores desencadeantes da dor que o paciente sente. Por exemplo, se uma professora não pode mais falar alto e ficar em pé, ela pode passar a ter funções administrativas na escola.

Por outro lado, uma vida com qualidade próxima do normal pode significar mudanças quando o que acontecia anteriormente não era o ideal. Mudar travesseiro e colchões, mudar a postura durante atividades como leitura e atividades de trabalho, inserir no dia a dia atividades físicas como exercícios ou caminhadas e o cuidado com o sono e a alimentação são muitas vezes mudanças necessárias, que precisam ser pensadas para cada pessoa. Algumas mudanças podem ser muito custosas para alguns e fáceis de serem feitas para outros, então respeitar esses limites é importante.

Precisamos evitar aquelas verdades absolutas e entender que as pessoas são diferentes entre si. Há quem tem dificuldade para ficar parado e quem tem preguiça; há quem gosta de ter alimentação saudável e quem não consegue ficar sem uma fritura. Procurar um caminho intermediário é a chave do sucesso. Pois é melhor que um pouco seja feito do que exigir o máximo e não conseguir nada, o que gera frustração.

Um exemplo é a máxima que diz que todas as pessoas precisam de convívio amplo com os outros e que se estiverem sós muito frequentemente estão com um problema. Será sempre verdade? Uma paciente idosa que conheço proclama que quer o espaço dela, não gosta de pessoas em casa e não liga para passar feriados e eventos importantes sem a companhia dos outros. Pode ser que ela esteja deprimida, mas e se a vida inteira ela foi assim?

Ou, ainda, um idoso com câncer que, ora está internado, ora não, enfrenta a dificuldade de que todos querem ir visitá-lo. Muitos o fazem por obrigação. Ele proclama: "Quero ficar só, apenas filhos e esposa." Será que ele deveria ser obrigado a, no final da vida, cumprir um protocolo de educação de receber a todos e ser simpático com eles?

Às vezes, o que parece excesso para uns pode ser o normal para o outro. Além disso, cada dor provoca um tipo de limitação, que varia de pessoa para pessoa.

Sendo assim, a flexibilidade de levar uma vida prazerosa, sem a pressão de cumprir obrigações e protocolos, mas realizando adaptações à sobrecarga física e mental de acordo com a pessoa, é a forma ideal que precisa ser pensada e feita. Somente assim haverá respeito, consideração, redução na sensação de fracasso e de culpa, bem como resultados melhores no enfrentamento da dor.

23 Devo parar de trabalhar?

É fato que algumas condições dolorosas podem impedir completamente o trabalho. Ao menos por períodos de tratamento e controle da dor. Talvez algumas condições de dor levem ao impedimento permanente da atividade de trabalho, que precisará ser trocada por outra. Mas, de forma geral, evite parar completamente de trabalhar, a não ser que o seu dia seja repleto de outras atividades que tenham significado para você e que lhe tragam a sensação de ser útil.

Parar por completo pode ser necessário se a aposentadoria for uma escolha ou compulsória. Mas isso não quer dizer ficar absolutamente sem nada fazer e sem função.

Por outro lado, há quem ame o que faz, ou precisa fazer o que faz e não quer deixar aquela função, mesmo com a dor. Essa pessoa também precisa ser respeitada. Ela tem o direito de escolher continuar, sabendo das consequências. Afinal, nada mais desagradável do que ser chamada a atenção como se fosse uma criancinha que fez algo errado. Nós devemos ser instruídos quanto aos riscos e aos problemas, mas a escolha final será nossa.

É como a pessoa que fuma. Diga-me uma pessoa que fuma e que não sabe que aquilo nada tem de bom. Que causa câncer. Que causa problemas cardiovasculares. Difícil encontrar quem não saiba disso, não é? Porém, trata-se de uma escolha. E eu posso falar sobre isso sem culpa porque não fumo, não gosto de cigarro, mas respeito quem fuma (se escolheu assim, e longe de mim). Isso é respeito mútuo.

Imagine, então, um músico violinista que tem bruxismo e dor. Ele range os dentes à noite e tem problemas na articulação temporomandibular, aquela entre a mandíbula e o crânio, em parte provocadas pelo hábito de tocar violino. Sendo uma paixão, será possível pedir a ele que pare de tocar? Pode ser que ele encontre outro instrumento, mas pode ser que não. Então, precisa enfrentar, se adaptar e lutar. Tratar os momentos de crise, afastar-se temporariamente quando necessário e gerenciar a condição dolorosa que sente. Seria correto aconselhá-la a parar?

Imagine, ainda, uma professora que começou a ter dores fortíssimas na boca e passou a ter dificuldade em dar aula. Foi remanejada para uma posição de secretária, uma posição mais administrativa, onde trabalhava em frente do computador. Poderia ser uma boa opção? Sim, se a nova função for agradável a ela e trouxer prazer e sensação de utilidade. Porém, se essa pessoa amava lecionar e se viu obrigada a mudar de função, a mudança poderá ser um transtorno. Poderia ter havido uma solução intermediária? Dividir a carga de trabalho entre dar aula e atividades administrativas? Ou outra adaptação? É provável que sim.

Todos os exemplos aqui citados são casos que eu vi durante a minha vida profissional, não são ficção. Essas pessoas existem. E aquelas que mais lutaram para manterem-se ativos, produtivos e úteis foram aquelas que melhor enfrentaram a dor e que apresentaram melhor desempenho e alívio ao longo dos anos de acompanhamento.

Portanto, se a dor dificulta suas atividades de rotina e laborais, então se adapte, mas não pare de trabalhar.

24 Você pode ajudar o profissional no diagnóstico

Dor é um sintoma subjetivo, e os médicos e os dentistas são treinados para diagnosticar a dor. Por ser subjetiva, acima de qualquer outra coisa, a informação de dados que são questionados e que compõem a queixa principal e a história da dor são o que conduz o profissional ao exame necessário e ao diagnóstico.

Assim, o médico ou dentista é quem faz o diagnóstico e o paciente nada precisa fazer, correto? Não é bem assim. Porque quem sabe como é a dor, como dói, quando dói, quando começou, o que melhora, o que piora etc., é o paciente. Não dá para medir isso a não ser lhe perguntando.

Nesse sentido, o paciente pode auxiliar o profissional no diagnóstico. Forneça o máximo de dados. Saiba como ocorre sua dor, se é em crises, se é contínua, se é de dia, de noite, de madrugada, se dura o tempo todo. Qual o tipo de dor que você sente? Ela muda? Há algo que influencia? Como começou? Como tem sido sua vida? Você percebe algo que influencia a dor? Há algo diferente acontecendo? Como você se alimenta? Tem alguma coisa que desencadeia a dor? Quanto mais dados e maior precisão nas informações, melhor será o processo de diagnóstico da dor.

Isso significa também que se observar é muito importante no processo de diagnóstico. Perceber em quais momentos a dor aparece e de que forma pode dar pistas. Uma mulher sentia dores na face terríveis e foi diagnosticada com uma condição de dor facial atípica, algo de difícil tratamento. Ela também tinha dor de cabeça, e ao exame ficou bem claro que se tratava de dor nos músculos da mastigação e na região do pescoço. Apesar dos tratamentos para dor muscular, não havia melhora significativa.

Naquele momento, essa mulher foi reavaliada. E iniciou-se uma conversa sobre como era o dia a dia da dor; em que momento aparecia e quando cessava. A descoberta foi que a dor estava claramente relacionada ao período que essa senhora assistia à televisão em sua sala, apesar de que ela mesma não tinha até então percebido essa relação.

Pedimos, então, que um diário de dor fosse feito. Um diário de dor é um relato diário cuidadoso feito pelo paciente sobre todas as coisas que aconteceram durante o dia e a relação dessas coisas com as crises de dor. Dados sobre a dor como intensidade, tipo, local, duração e o que foi feito para melhorar são importantes. Mas coletar dados sobre as características do dia a dia da pessoa, que às vezes parecem não ter nada de relação com a dor, pode dar pistas.

Essa senhora trouxe o diário, e a dor estava claramente relacionada aos períodos em que assistia à televisão. Pois bem, o que ela fazia, então, naquele momento que desencadeava a dor? Questionamos se ela via televisão deitada ou sentada – era sentada. Onde? Em um sofá. Como era o sofá? Então uma luz se acendeu nos olhos dela! O sofá era muito velho, muito macio e a deixava desconfortável, mas ela estava acostumada. Não tinha dinheiro para trocar de sofá, então seria aquele mesmo. Intervimos para que ela fizesse a experiência de assistir televisão de outro móvel, de uma cadeira, por exemplo.

Nas semanas seguintes, a dor desapareceu. E, depois de meses de acompanhamento, nada mais aconteceu. Houve alta porque a dor não mais retornou.

Tantos tratamentos foram realizados, e talvez o mais importante foi identificar um fator postural que desencadeava a dor. Isso jamais teria sido descoberto se não houvesse um momento em que paramos para investigar os detalhes da dor e como ela ocorria, levantando hipóteses.

Esse é um exemplo que ilustra tantos outros casos do dia a dia e mostra como o diário da dor é importante. Mostra, ainda, como o paciente pode e deve auxiliar os profissionais no momento do diagnóstico ao fornecer detalhes e dados importantes.

25 O que pode ser a causa da dor?

Quando sentimos dor, logo tentamos investigar o que pode ter causado aquilo. Seria uma briga com o marido? Um problema e uma preocupação? Um tratamento realizado? Uma cirurgia? Um acidente?

A sensação de que há uma causa traz conforto porque essa causa, quando identificada, poderá ser removida. Mesmo com toda a ansiedade que acompanha o processo de diagnóstico da dor, é sempre reconfortante descobrir a causa. Vi muitos olhares frustrados de pacientes com neuralgia do trigêmeo quando souberam que seus exames de imagem (ressonâncias e tomografias) não acusaram nenhuma alteração e que as suas neuralgias eram o que chamamos de idiopáticas ou essenciais. "Poxa, então não deu nada?", costuma ser o comentário.

Identificar uma causa é importante, mas a notícia ruim é que muitas vezes não há uma causa única e explícita, mas, sim, um conjunto de fatores que culminaram na dor. Às vezes, a causa daquela doença ainda não foi plenamente explicada, como no caso das neuralgias. Múltiplas causas são comuns; não foi somente uma briga, ou somente um tratamento dentário, por exemplo, ou somente uma cirurgia, mas o conjunto do que acontecia; em uma pessoa que estava predisposta a desenvolver dor.

Em alguns casos, a dor pode de fato ter se iniciado com uma causa específica, como a dor após a amputação de um membro. Porém, se observarmos, há pessoas que também amputaram membro e que não sentem dor, e aí entram os múltiplos fatores envolvidos no desencadeamento da dor. Do mesmo modo, a maioria das pessoas que range os dentes não tem nenhuma dor, mas para aqueles alguns que têm dor, o ranger de dentes pode sobrecarregar os músculos e ser um fator a mais dentre tantos que participam do desencadeamento da dor. Assim, há múltiplos fatores envolvidos nesses pacientes.

O outro extremo é acreditar que um acidente ou uma cirurgia, ou um tratamento qualquer que ocorreu anos antes de a dor começar, esteja relacionado a ela. Em geral, o tecido do corpo que mais demora para se cicatrizar e que pode ser acompanhado após uma cirurgia ou acidente é o tecido ósseo, e em seis meses a cicatrização e a remodelação do osso já ocorreu. Então, o intervalo de anos não justifica uma relação de causa e efeito para a dor.

O único caso de relação de causa e efeito que chama a atenção é quando houve de fato uma cirurgia ou traumatismo recente com intervalo de dias e semanas antes do início da dor. Nesses casos, esteja atento: pode ser um dado importante para que o profissional faça o diagnóstico da dor.

26 Diagnóstico é clínico, e exames são complementares

O processo de diagnóstico depende da avaliação cuidadosa da queixa principal, da evolução e da história da dor. É necessário que o profissional faça as perguntas pertinentes para identificar as características que classificam a dor daquele paciente entre as tantas que existem e que podem ser diagnosticadas. Apenas com uma história bem detalhada, e depois de alguma conversa, o profissional deve proceder ao exame clínico minucioso, avaliando os tecidos, a pele, as mucosas, os músculos, lesões que existam, com o objetivo de obter mais dados que complementem os critérios para o diagnóstico de doenças. Somente depois disso, e com as hipóteses prontas em sua cabeça, é que exames complementares devem ser solicitados.

Os exames complementares são necessários e, muitas vezes, cruciais ao diagnóstico. Eles incluem exames de sangue, exames de imagem como tomografia, raios X, ressonância, ultrassom, além de provas diversas, eletrocardiograma, eletroencefalograma, entre outras. Tendo em mãos as hipóteses levantadas pelo médico ou dentista, os exames complementares poderão ser utilizados para confirmar ou excluir condições. Eles são essenciais, sim, mas não substituem a avaliação e a história da dor. Pois são justamente complementares.

É preciso entender o papel dos exames, isto é, entender que, quando são negativos, podem confirmar alguma hipótese ao refutar outras. Além disso, os resultados observados podem, ou não, apresentar surpresas, mas a sua relação com a dor apresenta um grau importante de coerência.

Um exemplo disso é o caso de um homem de meia-idade com dor intensa na boca, que necessitava de avaliação Entre as queixas, havia vômitos frequentes, e o quadro geral apontou para a possibilidade de doença torácica, talvez relacionada ao sistema digestivo. Havia a suspeita de doença maligna, por causa de outros aspectos do quadro clínico em geral, e que precisavam ser investigados. Para minha surpresa, após encaminhamento ao gastro, o exame de endoscopia veio: gastrite. Como foi esse o resultado, o médico iniciou o tratamento, sem melhora. Pela estranha evolução e pela incompatibilidade do que víamos com o diagnóstico de gastrite, houve repetição do exame, e havia um câncer nesse paciente.

Outro caso é a dor de cabeça em uma mulher grávida, que nunca havia apresentado enxaquecas, mas que tinha antes dessa dor um fenômeno típico de enxaqueca: a aura. Trata-se de distúrbios principalmente visuais que aparecem antes da crise de dor. Além disso, ela se queixou de alterações neurológicas (dificuldade de lembrar nomes e confusão mental). A avaliação clínica indica enxaqueca. Um exame foi feito para verificar se haveria alguma causa intracraniana, e foi encontrado um aneurisma. Porém, ele nada tinha a ver com a dor, apesar de ser outra doença a parte que necessitava de acompanhamento.

A avaliação é importante, assim como o exame complementar, mas a sua interpretação e a contextualização no caso são essenciais para fechar o diagnóstico e estabelecer o tratamento.

27 Nem sempre o que está no exame tem a ver com a dor

Os exames complementares são inúmeros, e não há paciente com dor que não chegue com uma sacola de radiografias e ressonâncias para serem avaliadas. Porém, nem tudo o que é encontrado pode estar diretamente ligado à dor que o doente sente. Assim como o caso descrito anteriormente, em que havia uma dor de cabeça típica de enxaqueca e que o achado neurológico não tinha relação com a dor da paciente (um aneurisma), há inúmeros outros casos de discos vertebrais ou articulares deslocados e que podem não ter relação com a dor de que o paciente se queixa.

Um professor meu costuma dizer que, depois dos 50 anos, as pessoas terão chances enormes e crescentes de terem discos vertebrais fora de posição. Como neurocirurgião especialista em dor, ele sabe que é a avaliação do paciente, o tipo de dor que ele apresenta e as características que podem dizer se aquele disco deslocado tem a ver com a dor ou não. Mais ainda, já na avaliação clínica, é possível suspeitar de que um disco vertebral deslocado é o que está provocando a dor, e o exame *complementar* virá apenas para confirmar a hipótese já determinada.

O mesmo vale para as articulações temporomandibulares. São inúmeras as pessoas que têm estalos nas ditas ATM e não receberão indicação de tratamentos, por não serem necessários. Além disso, a própria avaliação no exame indica quais são as prováveis alterações da articulação, e o exame virá apenas para complementar, confirmando hipóteses ou excluindo aquelas que necessitariam de maior intervenção.

Muitos são os pacientes que apresentam esses estalos, mas que não sentem dor nem têm comprometimento das funções da mandíbula, como a mastigação e a fala. Outros, porém, podem ter alguma doença grave mais rara. É o caso do paciente que tratava de "problema de ATM" havia anos e que tinha um tumor que, apesar de grave, era localizado e de crescimento lento. Foi tratado e depois disso nunca mais teve dor nem recidiva do tumor, ao longo de mais de uma década de acompanhamento.

A dor nas pernas e nas costas é comum, principalmente nas mulheres. Em um caso específico, havia dor bem localizada na virilha, que apenas aparecia ao caminhar, nunca doía espontaneamente, o que se caracterizava como dor articular. Contudo, foi diagnosticada como dor muscular por dois longos meses. Não havia achado radiográfico. Insistindo com os médicos, essa paciente conseguiu que uma ressonância fosse realizada, pois suspeitava da articulação em si, e havia uma microfratura em região bem próxima à articulação como causa da dor.

Assim, os exames fazem parte da rotina médica, mas não substituem o processo de avaliação da história e avaliação clínica do paciente. Achados precisam ser compatíveis com a história e com os exames clínicos para terem relação com a dor ou são somente achados. E, se nada foi encontrado, mas a história e o exame denunciam que há algo mais, os exames devem ser repetidos ou outras modalidades de exames mais precisos precisam ser utilizadas. Em alguns casos, talvez o achado que nada tem a ver com a dor seja uma doença que precisa de acompanhamento ou encaminhamento em paralelo. E, por fim, o que define tudo isso é a investigação do que o paciente sente e o que há nos exames frente aos critérios para classificação e diagnóstico em dor.

28 Dor crônica pode ser prevenida?

A dor é algo ruim de vivenciar e complica a vida de quem a sente e de quem está ao redor. Seria possível preveni-la de alguma forma? Ao menos em teoria, sim.

Vejamos o que é a dor. É uma sensação ruim, que gera uma emoção ruim e que produz uma memória, que, por sua vez, é como andar de bicicleta: fica registrada no cérebro. A memória fica guardada, mesmo que não seja mais utilizada. Mas, se for necessária, ali estará. Então, quanto mais dor eu tiver na vida, mais registros de dor serão armazenados na memória, não é? E, tendo mais registros de dor, maior a chance de ter maior dor ainda no futuro.

Por outro lado, se eu tive pouca dor, se fui submetido a poucos procedimentos em que a dor aconteceu, e se a minha ansiedade e o medo perante a dor foram devidamente controlados em todas as circunstâncias em que fui exposto à dor, então minha memória de dor é pequena e restrita. E pouco importante. Nesse caso, se eu tiver algum novo evento que cause dor, é como se fosse a dor inicial, que não encontra memória e que pode ser mais bem controlada.

Sendo assim, parece simples pensar que a dor não somente pode como deve ser prevenida. E há inúmeras formas de evitá-la, principalmente se estiver relacionada a um procedimento a ser realizado, ou se o caso for relacionado à dor pós-operatória ou pós-procedimento.

Então, para prevenir o desenvolvimento de dor crônica no futuro, e até para abortar crises de dor e evitar que elas se repitam, é preciso controlar a dor do presente da forma mais eficiente possível.

Existem diversas formas de prevenção, desde analgésicos, anestésicos, sedativos, até medidas físicas e complementares, que reduzem a sensação de dor. É possível controlar o medo e a ansiedade de diversas maneiras, o que reduz a sensação dolorosa. E, assim, evitam-se os fenômenos de memória e de cronificação, o que pode prevenir a dor crônica em pessoas que possam apresentar predisposição.

Porém, infelizmente, ainda há crenças ou comportamentos culturais que fazem com que sentir dor seja algo normal, que faz parte do processo de doença, da cirurgia, do pós-operatório etc. É o caso de profissionais que pedem "só mais um pouquinho" para terminar um procedimento em que há dor.

Pacientes que têm fibromialgia, uma doença caracterizada por ser uma síndrome, em que há dor no corpo inteiro e uma disfunção na percepção da dor por conta de defeitos no processamento central da dor e defeitos no sistema supressor de dor, muitas vezes começaram com uma dor localizada, na face, por exemplo. Aquela dor não foi bem controlada e desencadeou uma doença em alguém que estava já predisposto.

Cada um tem uma maneira de sentir dor; há quem é mais sensível e há quem é mais resistente. Há também diferenças entre os homens e as mulheres. Essas diferenças devem ser respeitadas, e a analgesia precisa ser realizada de acordo com os parâmetros individuais de cada um.

É preciso entender que não é normal sentir dor e que, se há meios de contê-la, ela deve ser evitada. Assim, você poderá prevenir o início de uma dor crônica no futuro.

29 Quanto antes aliviar a dor, melhor?

A dor é um sinal de alerta e, quando removida a causa, deveria desaparecer. Porém, por haver diversas causas associadas, algumas pessoas que têm predisposição acabam por desenvolver dor crônica.

A dor crônica não somente é um sintoma de algo que não está bem, mas pode ser considerada uma doença por si só. Assim, é acompanhada dos processos próprios da doença dor, como o desenvolvimento da memória da dor.

Quanto antes se descobre a causa de uma dor, menos características de doença crônica a dor tem. Isso acontece porque a memória e o "aprendizado" cerebral sobre dor crônica não aconteceu por completo se a dor começou recentemente.

Imagine quantas horas de dedicação você precisou para aprender a andar de bicicleta. E, depois de muitos treinos, mesmo que você fique anos sem utilizar uma bicicleta, quando montar em uma saberá imediatamente o que fazer. O que aprendemos fica em algum grau registrado no cérebro, e o mesmo acontece com a dor. Quanto mais dor foi sentida, quanto mais ficamos expostos a um sintoma doloroso, mais as redes neurais do cérebro "aprenderam" a sentir dor, o que fica registrado. É como se cristalizasse a dor em quem tem alguma predisposição.

Então, para que arriscar, não é? Antes de a dor se tornar crônica, ela precisa ser devidamente identificada e tratada. Assim, é possível prevenir o desenvolvimento da doença dor crônica, bem como prevenir que se espalhe em pessoas que tenham alguma susceptibilidade.

O mesmo vale para a dor durante uma cirurgia e no pós-operatório. Havendo um cuidado para que a dor não seja deflagrada mesmo em pessoas que estão sob sedação durante procedimentos, e havendo medidas analgésicas (medicamentosas ou não) que ajudem o paciente a ter menos dor depois de um procedimento operatório, melhor será. Isso vale não só para aquele momento, mas também como prevenção para o desenvolvimento da memória dor e de dores futuras. Afinal, a memória só desenvolve se estivermos expostos ao aprendizado, não é mesmo?

Assim, não devemos considerar normal uma dor que persiste mesmo que haja uma causa. A dor pós-extração dentária, por exemplo, deve durar no máximo dois a três dias. Se o sintoma dor persiste, há algum problema.

Mesmo que a dor tenha começado subitamente, sem nada que a tenha causado, devemos rapidamente buscar diagnóstico e medidas analgésicas, porque os mecanismos de memória da dor são semelhantes independentemente do que causou a dor. E, se os tratamentos realizados não estão fazendo efeito, procure averiguar.

Além disso, é importante que você conheça as hipóteses diagnósticas de sua dor. Não são raros os pacientes que tratam de dor há anos. Quando pergunto o que está sendo tratado, elas dizem que os médicos nunca lhes disseram o que tinham. Conhecer o que você tem ajuda-o a ter um papel ativo e participativo no alívio, no enfrentamento e na melhoria de sua vida de forma geral.

30 Posso ter mais de uma causa de dor ao mesmo tempo?

Inúmeros são os diagnósticos possíveis para uma dor. Dependendo da área do corpo afetada e da frequência com que aparecem as doenças que causam dor, há o risco de que ela tenha mais de uma causa ao mesmo tempo. Isso significa mais de um diagnóstico no mesmo paciente.

Um bom exemplo são as dores na face e na cabeça. São tantas as causas, e tão comuns, que não é raro um paciente ter várias delas em conjunto. Isso pode ocorrer também porque algumas doenças são consequências das limitações que o processo de dor persistente causa nas regiões do corpo afetadas.

Muitos pacientes têm dores de dente ao mesmo tempo que enxaquecas ou cefaleias tipo tensional, ou ainda neuralgias em conjunto com dores de dente. Isso acontece porque algumas dessas doenças são muito frequentes na população e podem coincidir em um mesmo paciente. Ou, ainda, como no exemplo do paciente com neuralgia e com dores de dente, as limitações provocadas pela neuralgia, que compromete a higiene oral e a escovação, podem ter levado a um agravamento da condição de saúde bucal, levando ao aparecimento de causas de dor dentária.

Por outro lado, devido à própria presença da dor ao longo do tempo, outros órgãos ou tecidos, como os do sistema musculoesquelético (principalmente o muscular), podem ficar alterados e dolorosos. Isso é muito comum e pode acontecer em qualquer parte do corpo. Não são raros os pacientes com neuralgia do trigêmeo que possuem disfunções musculares do aparelho mastigatório e/ou do pescoço que também causam dor. Também são comuns pessoas que têm dor de cabeça e em conjunto problemas cervicais ou maxilares.

Isso ocorre devido às mudanças na rede neuronal que foram consequências da dor persistente em um determinado território do corpo. Os próprios nervos sensibilizam a musculatura, o que se soma às posturas alteradas que quem tem dor desenvolve. Quando dói a cabeça, contraímos a boca ou o pescoço; quando doem pernas ou braços, contraímos os membros, mudamos a forma de andar ou de fazer as coisas, o que sobrecarrega algumas fibras musculares e altera seu funcionamento.

Além disso, condições de uma determinada parte do corpo que poderiam até ser dolorosas, mas que não incomodavam naquele paciente, podem passar a ser incômodas por causa de uma dor com outra causa naquela mesma região do corpo. Um bom exemplo disso é o que acontece quando a boca está seca ou com a salivação diminuída por alguma razão.

A boca seca deixa a mucosa desidratada e, assim como a pele fica incômoda quando seca, pode também causar desconforto se houver falta de saliva. Porém, se esse for o único problema, é possível que não chegue a levar o paciente a procurar um tratamento. Trata-se de uma condição bem comum, associada ao envelhecimento, ao uso de diversos medicamentos como aqueles indicados no tratamento da pressão alta, da depressão, da ansiedade, da própria dor crônica... Ops, da própria dor crônica!

Se o paciente possui alguma fonte de dor na face ou na boca, a secura pode começar a incomodar e passar a ser um problema a mais. E se essa pessoa pode ter a secura da boca piorada por causa dos remédios para a dor crônica, então... O que fazer!?

Há diversas formas para administrar esse problema, mas isso faz com que a dor que parecia simples, de causa única, vá se tornando complexa. E, como pode haver uma combinação variada de doenças causando dor, cada indivíduo é único na percepção desta também porque suas causas em particular são únicas e somente dele.

O mesmo se dá com relação ao bruxismo às disfunções temporomandibulares ou dores musculares e articulares da ATM. Muitas pessoas apertam os dentes (o que é chamado de bruxismo), mas nem todas elas têm dor. Na verdade, de 100% de pessoas que rangem os dentes, cerca de 5% delas têm dor. Então, por que o bruxismo é tão importante para os pacientes que têm dor? Porque, para quem tem dor, o bruxismo associado representa uma causa para a piora e o agravamento do problema. É um caso semelhante à secura da boca.

31 Os tratamentos precisam estar adequados às causas e à dor, mas também aos pacientes

Uma vez que a dor é algo tão complexo, que depende de processos individuais que acontecem na rede neural e de diversos outros fatores, não é difícil de imaginar que a dor é individual, sentida de forma diferente por cada um e tolerada de forma igualmente individual.

Somando-se a isso, há a possibilidade de haver uma combinação específica de causas para cada paciente, o que foi apresentado e discutido no item anterior, reforçando o aspecto individual de cada dor. E, além disso, cada pessoa vive num contexto social, familiar, e tem suas formas pessoais de enfrentamento e de tolerância aos tratamentos (e não só tolerância à dor em si) que a tornam ainda mais única quanto à forma da dor presente, às sensações que a acompanham e aos tratamentos que precisam ser propostos.

São como as impressões digitais e as manchas na pelagem das onças: a forma que cada um sente sua dor é única e pode identificar uma pessoa.

Portanto, não tem receita de bolo: medicamento *X* em tal dosagem e por tanto tempo trata *Y* em qualquer paciente. Fisioterapia, acupuntura, remédios e opções alternativas podem ser viáveis e não podem ser generalizadas.

Às vezes, um paciente ouve falar de alguém que melhorou com hidroginástica. Pode ser que não sirva para si. Outras vezes, um paciente deixou de sentir dor após certa mudança no estilo de vida; ou alguém que sentiu alívio ao frequentar grupos religiosos.

O sucesso do tratamento para a dor depende do diagnóstico, da resposta individual para os medicamentos, da tolerância aos efeitos colaterais. Depende das dores associadas que podem significar que há mais de uma causa de dor no mesmo indivíduo, de doenças que chamamos sistêmicas (que afetam o indivíduo como um todo, como a diabetes, a fibromialgia e a pressão alta, e que podem influenciar no tratamento da dor localizada). Depende, ainda, da adesão ao tratamento (e, assim, da confiança, segurança, conhecimento e empatia) e até do estilo de vida, das crenças, da rede de suporte e da forma de enfrentamento.

32 Os tratamentos precisam estar adequados ao tempo de dor (aguda ou crônica) e aos processos locais e neurais da dor

Quando a dor se inicia, frequentemente está associada a uma inflamação. A inflamação é uma resposta a uma agressão (como nos acidentes, nas cirurgias, nas infecções). Na inflamação, há muitos mediadores que são liberados e que alteram a percepção da dor e o metabolismo do local afetado. A dor de curta duração, até três meses, está na maioria das vezes relacionada a essa inflamação local.

Com o tempo, as fibras nervosas que ficaram sensibilizadas por causa da inflamação passam a disparar a sensação de dor no sistema nervoso central e no cérebro. Esses disparos também sensibilizam mais ainda o seu cérebro e, com isso, são alteradas as redes neurais e são geradas memórias da dor. E não é só da dor pura que o paciente sofre, também há problemas em outros aspectos como aqueles relacionados às emoções, porque dor é uma emoção. Assim, a dor crônica, aquela que dura mais de seis meses, apresenta diversas alterações desse tipo como parte da "causa" de dor.

Saber que existem essas diferenças é muito importante não só para entender como a dor se processa e para ajudar no diagnóstico, mas também para compreender quais são os sintomas do paciente e o que pode ser observado em um exame ou avaliação.

Por exemplo, um tecido inflamado por uma espinha é avermelhado, inchado e dói ao tocar. Pela cor e características, fica claro que há uma inflamação no local. Ou, não há nada na pele, mas ao toque leve sinto uma dor – então é possível que o problema esteja mais distante do local e mais próximo do sistema nervoso central. Ou, ainda, posso ter áreas com sinais de inflamação claros e outras, não; ou há inflamação em um tecido profundo como o músculo e não consigo ver pela pele, mas sinto dor ao apertar.

As características de dor relacionadas ao seu desenvolvimento ao longo do tempo, somando-se aos sinais e queixas do paciente, podem indicar um estágio de sensibilização periférica (principalmente alterações inflamatórias no local, no órgão ou tecido que dói) e/ou um estágio de sensibilização central ou tipo de processamento da dor. Isso pode estar relacionado ao tipo de diagnóstico de forma direta, quando a dor é neuropática (o próprio sistema nervoso está alterado), mas também pode estar relacionado à dor e ao diagnóstico de forma indireta, a exemplo de algumas disfunções musculares crônicas (em que pode haver maior ou menor comprometimento do músculo em si, e maior ou menor comprometimento da rede de memória e de processamento nervoso da dor).

O grau e o tipo de sensibilização também influenciam na opção por tratamentos em dor crônica. Há tratamentos operatórios que removem causas periféricas, e há tratamentos operatórios neurocirúrgicos que modificam o processamento periférico ou central. Há medicamentos que têm maior efeito periférico, há medicamentos que têm maior efeito central. E há medicamentos que podem ser usados de forma tópica para aumentar o efeito local.

O balanço final entre os componentes da dor (inflamação, problemas neuropáticos, doenças locais, disfunções neurais) é o que dá o tom final para a dor do paciente e influencia diretamente nas escolhas de medicamentos, além do diagnóstico em si.

33 Medicamentos não são a única forma de tratar a dor

Quando pensamos em tratamento e alívio da dor, logo vêm em mente comprimidos e remédios. Há muitas opções a ser utilizadas dependendo das causas de dor, do diagnóstico, do processamento doloroso, da tolerância aos efeitos colaterais e de características individuais do paciente, mas os medicamentos não podem ser considerados a única forma de tratar a dor.

Tomar remédio é fácil, e talvez por isso seja tão fácil aderir a eles. Mas tratar a dor exige outras medidas para que o alívio seja realmente completo e eficaz, reduzindo o risco para um retorno da dor no futuro e ensinando o paciente a lidar com a dor que sente.

Além dos medicamentos, de mais fácil adesão, os procedimentos cirúrgicos em geral são facilmente aceitos, pois é como se o paciente pensasse que assim está tirando o mal pela raiz. Por exemplo, ao tratar certas dores na boca, pensa-se que extraindo um dente tudo será resolvido. Que engano! Se a dor não estiver relacionada àquele dente, pode ser que não só não ocorra a melhora, como ainda piore porque com a extração há uma inflamação, risco de infecção e a chance de desenvolver dor por mais uma causa, inclusive neuropática.

Em dor pós-operatória, pode ser necessário fazer compressas de gelo; em dor crônica, pode haver inúmeras formas de exercícios, de fisioterapia, compressas quentes, entre outros, mas tudo isso demanda dedicação e tempo do paciente.

Vejo que muitos pacientes menosprezam o papel desses tratamentos, pensando que são secundários e que somente os remédios podem melhorá-los. E, por conta da necessidade de dedicação (fazer compressa e bochecho toma tempo e cansa), acabam falhando e não aderindo corretamente.

Por outro lado, em alguns tipos de dor crônica, são necessárias readaptação e mudanças no estilo de vida, o que depende de muito esforço por parte do paciente.

Pois bem, há doenças que causam dor ou determinados tipos de dores crônicas que não podem dispensar os remédios, e outras que podem até ter os remédios substituídos por outras terapias. O importante é entender que tratamentos não cirúrgicos e não medicamentosos podem ser *tão eficientes* quanto. Ou, ainda, essas formas de tratar a dor podem complementar o remédio e/ou a cirurgia, de forma a aumentar ainda mais o grau de melhora do paciente.

Eles podem ser úteis para quem tem alergias medicamentosas, para quem tem doenças crônicas diversas, para quem não tolera o remédio, para gestantes, crianças ou idosos, porque essas formas de tratamento apresentam muito menos efeitos colaterais.

E boa parte delas pode ser aprendida pelos pacientes para ser executada em momentos em que há crises de dor, ou de forma preventiva. Tudo isso em casa! Afinal, se é necessário adaptar-se e enfrentar, nada melhor do que ter ferramentas acessíveis em mãos, não é?

É importante que o paciente envolvido no tratamento de sua dor se dedique ao aprendizado sobre o que tem, às limitações da sua condição, que ele entenda os tratamentos disponíveis e que participe ativamente do processo de alívio da dor ao aderir aos tratamentos. O que não entendemos para que serve, não fazemos. Porém, entendendo o sentido daquilo e observando a melhora, os resultados serão mais positivos.

34 Tratamentos e mudanças que parecem dar mais trabalho ao paciente podem ter efeitos no longo prazo

Parece mais fácil estarmos à disposição dos remédios que foram recomendados e também de outros procedimentos realizados pelos médicos, mas, para toda doença crônica, é a mudança em estilo de vida e a adesão aos tratamentos que dependem de dedicação e tempo, fatores que podem fazer grande diferença no longo prazo. E é no longo prazo que estamos de olho quando estamos falando em algo crônico, não é? Pois a dor, enquanto doença crônica, precisa dessa dedicação.

Se eu tenho pressão alta e tomo medicamentos, sinto a consciência tranquila, não é? Mas, se eu não mudo a minha dieta e incluo atividades físicas, deixo de diminuir a exposição a fatores de risco para desenvolver complicações da pressão alta e também deixo de utilizar mecanismos internos hormonais que podem ser ativados pelos exercícios. Além da predisposição genética e da hereditariedade, a própria dieta e atividade física podem ter sido hábitos que precipitaram o aparecimento da doença. E, se eu não os modificar, problemas graves poderão acontecer no futuro.

O mesmo acontece em algumas dores crônicas. Muitas delas podem se desenvolver associadas a hábitos, estilos de vida, questões posturais e ambientes, além da predisposição genética e da hereditariedade em si. E, depois de instaladas no paciente, muitas delas precisam de adaptação e mudanças no estilo de vida como parte do tratamento, da prevenção de crises futuras e do gerenciamento da dor.

Infelizmente, as pessoas parecem confiar menos em pequenas mudanças que poderão fazer grande diferença, ou no benefício que atividade física e mental resulta por conta de modulação hormonal e emocional, o que tem repercussão biológica direta na dor.

O paciente com dor precisa ter um comportamento ativo e entender que esses tratamentos simples como exercícios, compressas e mudanças de hábito, têm poucos efeitos colaterais e poderão resultar em grandes benefícios, especialmente no longo prazo. Sendo a dor crônica incurável em sua maioria, apesar do importante desejo pelo alívio imediato, ter uma expectativa de vida de melhor qualidade e a possibilidade de minimizar problemas no futuro precisa ser também priorizado.

Portanto, entenda que mudar muitas vezes é preciso, tanto quanto o tratamento imediato.

35 Cirurgia geralmente não é, mas pode ser a primeira opção

É normal a sensação de angústia que acompanha a dor que ainda não foi diagnosticada. Parece que falta um nome para aquela doença; e, enquanto a doença não tiver nome, não terá tratamento próprio determinado. Também dá a sensação de que pode ter algum processo sério acontecendo e que não foi percebido – e a passagem do tempo pode significar piora ou agravamento.

Nesse contexto, ter a sensação de que pode haver uma doença que precisa ser operada é comum. Quando temos unha encravada, nos submetemos a um procedimento operatório. Quando um dente dói, pode-se tirar a cárie, raspar a gengiva, extrair um dente, tratar o canal – todos procedimentos cirúrgicos. Quando um tumor cresce, precisa muitas vezes ser operado. Ao longo da história, por vezes as cirurgias eram os únicos procedimentos, sendo que os medicamentos se desenvolveram mais recentemente. E a herança dessa crença ainda continua.

Porém, infelizmente (ou felizmente) a maioria das dores não são tratadas com cirurgias, ao menos não como primeira opção. E, às vezes, mesmo quando a cirurgia pode ser uma boa, se a sensibilização e a dor estiverem descontroladas, poderá haver piora do sintoma – porque memória ativa de dor gera mais memória, e o procedimento operatório por si só causa inflamação e dor. Nesses casos, a cirurgia pode ter indicação no processo de reabilitação que vem depois que a dor foi tratada – então não é tratamento da dor, é reabilitação (que pode ter importante função na prevenção de futuras crises). E deve ser realizada depois da analgesia.

Como nunca falamos em certezas e, sim, em probabilidades, pode haver alguns casos em que a cirurgia é a primeira opção e deve ser realizada. A unha encravada e as dores dentárias são bons exemplos disso. Não adianta tomar analgésico para dor de dente pulpar (aquela que é indicação de tratamento de canal). Quando a inflamação é muito grande e gera muita sensibilização, nem medicamentos fortes como morfina aliviam a dor do dente; somente haverá alívio se for tratada cirurgicamente.

Outra possibilidade de indicação cirúrgica precoce é a neuralgia do trigêmeo em paciente que não tolerou os efeitos colaterais dos medicamentos, ou cujo trabalho não permite que ele esteja frequentemente sob o efeito do remédio, ou ainda que tenha apresentado alergia medicamentosa, entre outros. Pode ser que os procedimentos operatórios sejam a melhor solução.

Há também opções cirúrgicas bastante elaboradas que têm por objetivo alterar o funcionamento das redes neurais (atuando diretamente na dor e em seus mecanismos), sendo indicadas em casos específicos, embora não costumem ser primeira opção.

36 Dor crônica pode ser agravada por procedimentos que causem dor

Quando um paciente tem dor crônica, aconteceram muitas mudanças em todo o processamento nervoso da dor, desde os nervos que estão relacionados à área do corpo que dói até várias áreas do sistema nervoso central. Essas mudanças geram memórias que ficam armazenadas. Enquanto sentimos dor, os neurônios envolvidos tornam-se mais ativos, pois estão sensibilizados por ela. E é importante compreender essa sensibilização porque ela pode fazer com que qualquer outro procedimento ou conduta, principalmente em áreas próximas daquela que dói, aumente ou modifique a dor original.

Na prática, isso significa que alguns cuidados precisam ser tomados em quem tem dor crônica. Massagens precisam ser feitas com mais delicadeza porque o paciente muito sensibilizado pode sentir piora, e não melhora, da dor. Aparelhos ortodônticos, por exemplo, são importantes mecanismos reabilitadores da mordida, mas sua colocação precisa ser muito cuidadosa em pessoas que apresentam sinais de sensibilização devido à dor que sentem. A fisioterapia precisa ser feita com cautela em pessoas que têm doenças como a síndrome fibromiálgica e baixa tolerância à dor.

Sendo assim, principalmente na dor crônica, os tratamentos iniciais são mais voltados para a dor em si, independentemente das causas associadas que podem ter desencadeado o processo. São necessárias medidas analgésicas e que devem respeitar o limite do paciente, o da sensibilização que ele sente e também da dor. Em um segundo momento, quando a dor foi minimizada, os procedimentos reabilitadores poderão ser realizados com mais segurança e causar os benefícios relacionados a eles.

É como quando vamos nos adaptar a uma nova atividade, um exercício físico, por exemplo, como a corrida. Antes de correr por dezenas de minutos seguidos, é necessário conseguir correr poucos minutos. E, antes desses poucos minutos, talvez tenha sido necessário caminhar. O corpo responde melhor a adaptações escalonadas, um degrau de cada vez.

O mesmo vale para as mudanças em estilo de vida. Não é fácil para ninguém persistir depois de uma mudança radical necessária. Fazer pequenas mudanças pode não ser ideal, mas pode trazer resultados. Se eu não consigo caminhar meia hora todos os dias, ou isso seria um esforço excessivo, posso começar fazendo o exercício três, duas, ou até uma única vez na semana. Isso pode ajudar a introduzir o hábito para que aos poucos ele seja incrementado. Se eu não consigo escovar os dentes e passar o fio dental três vezes ao dia, não é por isso que devo desistir. Posso começar fazendo uma dessas escovações a mais perfeita, e gradualmente o hábito será inserido na minha vida. Assim, as mudanças podem ser mais "indolores" e acompanhadas de maior otimismo.

37 Atitude e participação no tratamento podem mudar a história da dor

A manifestação da dor por si só nos causa insegurança, medos, ansiedade, frustrações e desespero. Ou, ainda, ela pode se manifestar como válvula de escape, quando piora se houve um desequilíbrio emocional. Ao descobrir que a dor é crônica e que deverá ser acompanhada por longos anos, pode haver uma sensação de impotência. Especialmente porque tínhamos aprendido que a dor era um sintoma de outra doença – e cadê essa doença, se agora ela se chama dor?

Por isso, não é fácil enfrentar o problema, mas enfrentá-lo, assim como outras doenças crônicas, depende muito mais de você. A dor está em você, e somente você consegue dimensionar o quanto ela incomoda. Você consegue perceber os limites nas coisas que faz, o que pode ou não fazer para desencadear a dor. Você pode determinar se há algo que faça a dor melhorar, ou se nada há (dependendo do diagnóstico).

A dor afeta toda a família, o companheiro, filhos, pais, companheiros de trabalho, vizinhos, colegas diversos. São eles que percebem em menor ou maior grau as nossas limitações causadas pela dor e se envolvem na busca pelo nosso tratamento e pela cura. Ter o apoio da família é importante e pode ajudar muitas vezes nesse enfrentamento, mas quem tem a dor é você. Assim, além do diagnóstico e dos tratamentos corretos, é fundamental o seu envolvimento pessoal no combate à dor de forma ativa, participativa e pronto para fazer as adaptações e as mudanças necessárias.

A dor está em você, mas pode ser gerenciada, além de tratada. Ao menos no presente momento, a maioria dos tratamentos poderão aliviar em parte a dor (em pequena ou grande proporção), e algum grau de dor residual poderá permanecer. Mesmo se a dor desaparecer, pode ser que ocorram novas crises no futuro, e você precisa saber como prevenir e o que deve fazer de imediato. Essas situações exigem que você não terceirize o problema para quem cuida de você, mas, sim, procurar entender à sua maneira o que sente e o que pode fazer para ajudar nos tratamentos.

Outra forma que ajuda não só o paciente, mas também os profissionais de saúde, a entender a dor é o diário de dor. Procure fazer anotações sobre o seu dia, seus hábitos, suas horas de descanso, suas atividades, suas refeições; quanto mais dados, melhor. Relacione os fatos anotados com o início de crises de dor, coisas que aliviaram ou pioraram, tempo de duração do alívio de dor após um medicamento ou outra medida.

Já vi situações em que o paciente apresenta dor crônica de difícil controle e que consegue gerenciar de forma muito positiva; outros que, mesmo tendo causas de dor mais simples, sobrecarregam a família e têm dificuldade para sair dessa. Se for esse o caso, apoio psicológico pode ser muito útil, o que pode auxiliá-lo na descoberta de suas fontes internas ou externas de enfrentamento. Há muitas formas de descobrir interesses e formas de gerenciamento da dor, desde que você esteja disposto e motivado a encarar o problema de frente.

38 Otimismo ou pessimismo influenciam a dor?

A forma de lidar com as situações (mais otimista ou pessimista) pode não influenciar na dor em si, mas na forma como ela é percebida e na forma de lidar com ela. Além disso, há a influência de aspectos culturais e do que aprendemos sobre comportamento social quando temos dor.

Eu posso estar trabalhando no computador, sentir uma dor nas costas, e imediatamente parar de trabalhar. Posso sentir a mesma dor, procurar me distrair dela e continuar trabalhando. Posso parar e ficar desesperado. Posso parar e reclamar. Ou posso parar e ir fazer outras coisas que não me causem dor. É claro que, dependendo da causa e da intensidade, qualquer atividade pode ser impossível, mas boa parte das vezes há a possibilidade de administrar o que se sente.

Se eu tenho dor ao me alimentar, posso verificar quais alimentos desencadeiam a dor e evitá-los. Se a dor alivia ao mastigar, posso pensar em uma forma de usar isso a meu favor. Se eu tomo uma atitude e tento me adaptar ou mudar, estou sendo proativo e mais otimista, e consigo lidar melhor com aquela situação.

Dor é um sintoma desagradável por definição e capaz de desestabilizar emocionalmente. Por ser uma emoção, ativa as mesmas áreas cerebrais que outras emoções podem ativar. Assim, a forma que eu me relaciono com ela pode afetar diretamente a sensação da dor que eu sinto.

É por essas razões que podemos dizer que entender a dor que se tem pode mudar a sensação. Observar quais fatores podem piorar ou melhorar a dor pode ajudar a reduzir as crises e sentir maior controle sobre a dor. É por isso que mudar o foco de atenção para outras atividades minimiza o sentimento, e o desenvolvimento de formas positivas de se lidar com a dor pode modificar o curso da doença.

Se estou otimista e alegre, procuro me adaptar, encontro formas de contornar a situação. Porém, se reclamo, xingo, tenho pensamentos ruins ou dificuldade de enfrentamento, a dor pode aumentar em desconforto e pode ser necessária a ajuda psicológica e o apoio para que essa atitude possa ser modificada.

A dor pode ser a mesma entre duas pessoas, e elas podem ter sido tratadas de forma semelhante, mas as atitudes é que poderão fazer a diferença, principalmente em um sintoma crônico. Parece estranho imaginar que descobrir que a dor é um sintoma que pode se repetir em crises e que poderá se arrastar por anos de tratamento, mas o controle pode resultar em uma atitude positiva. Pior é não saber o que tem e o que pode acontecer no futuro.

Se eu entendo a minha dor, entendo meu diagnóstico e os efeitos dos tratamentos, consigo gerenciar a minha vida considerando a dor que tenho. A maior previsibilidade sobre o futuro (mesmo que tenha aspectos negativos) me transmitirá mais segurança para as minhas decisões, o que influenciará na minha percepção desse futuro e na qualidade das coisas que opto para a vida.

39 O enfrentamento da dor é individual e relacionado ao ambiente

O ambiente de vida moderno pode estar relacionado com o surgimento da dor por várias razões. Enquanto antigamente precisávamos ir até o orelhão ou algum telefone fixo para contatar uma outra pessoa, hoje o telefone celular e as mensagens instantâneas exigem atendimento imediato. A tecnologia aumentou a facilidade de comunicação e expôs inúmeras pessoas ao estresse diário.

O estresse diário e a sensação de estar sempre atrasado e sempre sob pressão podem ajudar a desenvolver diversos problemas psicológicos e biológicos, inclusive a dor, como discutimos anteriormente. Além disso, estando com dor, o grau de resiliência aos acontecimentos diminui e facilita o desequilíbrio, dificultando o alívio da dor, aumentando as crises e sua frequência, e gerando instabilidade.

Para prevenir a dor, é importante adequar o estilo de vida ao ambiente moderno. Se eu tenho alto grau de resiliência e respondo muito bem ao estresse porque não deixo que ele me afete, então está tudo bem. Mas, se sou como a maioria das pessoas, que precisa de um tempo para processar as informações, esse ambiente precisa em algum grau ser controlado.

Quando a dor aparece, é necessário fazer uma análise sobre o momento que ela apareceu e sobre o que acontecia ao redor, além do estilo de vida em si naquele momento. Minha experiência mostra que os pacientes que desenvolveram dores complexas, como as dores faciais atípicas ou as odontalgias atípicas e dores neuropáticas da face muitas vezes passavam por momentos de estresse ou tiveram grandes perdas em conjunto com outros fatores (como procedimentos dentários) que desencadearam a dor. Muitas vezes, eles mesmos não haviam percebido que poderia haver uma relação direta entre os acontecimentos e a geração de estresse e sofrimento psíquico, causando a dor. Percebendo isso, é possível buscar auxílio profissional ou outras formas que se adequem ao indivíduo para que ele se reestabeleça e a dor cesse.

O controle do ambiente que nos cerca geralmente não é possível, pois não depende de nós. Por ser a dor uma emoção, uma percepção sensitiva do ambiente que indica uma agressão, um sinalizador de algo que não vai bem, o ambiente deve ser considerado. Se há algo que pode ser modificado, então isso é importante. Senão, formas de enfrentamento devem ser desenvolvidas para que se modifique a resiliência, se for possível, ou para que fatores ambientais que ocorriam durante o início da dor sejam reconhecidos e processados. O acompanhamento de um profissional de saúde mental pode ser muito importante e necessário nesse processo. E o tratamento da dor crônica precisa incluir abordagens que vão além do efeito analgésico em si e dos tratamentos. É necessário que a dor seja esclarecida, conhecida e compreendida em seus múltiplos aspectos: cognitivos, emocionais e ambientais.

40 O sono pode ser afetado ou afetar a dor

Quem tem fibromialgia sabe muito bem: a dor afeta o sono e o sono afeta a dor também.

O sono tem vários papéis como restaurador do equilíbrio físico, emocional e mental do indivíduo. Vários hormônios são liberados de acordo com o sono e com o ciclo circadiano (o ciclo diário), e as memórias são reorganizadas no cérebro enquanto dormimos. O sono tem uma arquitetura bem desenhada, em ciclos, e precisa completar as fases para que cumpra suas funções.

Se não dormimos bem, haverá prejuízos, e um deles pode ser a dor. O corpo dói após uma noite maldormida, não é mesmo? Imagine então se houver um problema grave de sono (ou por privação propriamente dita ou por incapacidade de relaxar de maneira profunda).

Da mesma forma, a dor pode ou não acordar o indivíduo que dorme e diminuir o poder restaurador do sono, o que altera diversas funções biológicas.

Quanto mais dor eu tenho, mais problemas de sono posso ter, e maior agravamento da dor pode ser uma consequência. É como uma bola de neve. Além disso, o sono pode ser acompanhado de problemas posturais (posição de dormir, tipo de colchão ou travesseiro etc.), o que pode piorar alguns tipos de dor crônica. E pode haver algum problema relacionado ao sono como as apneias e o bruxismo, que podem em algum grau relacionar-se à dor.

Da mesma forma que o caso que citei em outro tópico, a respeito da senhora que conseguiu ficar sem dor facial apenas porque mudou sua posição de assistir televisão do sofá para uma cadeira, alguns tipos de dor podem melhorar bastante se houver uma revisão sobre a forma de dormir.

Sonolência durante o dia, mesmo quando o indivíduo dorme muitas horas, pode ser um sinal de alerta e indicar a necessidade de busca por opinião profissional. Há alguns anos, acompanhei um caso de dor facial a esclarecer em que justamente essa queixa chamou a atenção. Após um bocejo da paciente, questionei se ela havia dormido mal na última noite, e ela informou que dormia muitas horas, porém sempre estava com sono. Aquilo fez com que eu a encaminhasse para a avaliação médica e polissonografia, o que resultou em um diagnóstico de apneia do sono. Após o tratamento da apneia, a dor dela melhorou.

Portanto, a qualidade do sono e a forma que você dorme precisam também ser observadas porque podem estar relacionadas ao tipo de dor.

41 Não é porque a pessoa não reclama que não tem dor

Culturalmente, somos influenciados na forma com que manifestamos a dor, havendo dois extremos: aquela pessoa que reclama sobre tudo, que está sempre se queixando e que é julgada como exagerada e que não deve estar sentindo tudo aquilo porque reclama demais; e a pessoa calada, sempre de bem, que nunca reclama, e nunca conta quando está sofrendo ou sentindo algo, e que em geral é julgada como alguém que é tranquilo e que nada tem mesmo.

Esses perfis estão relacionados à formação, a educação, ao ambiente e aos exemplos da infância, além de aspectos individuais. É como comparar as famílias latinas, que se comunicam em alto volume e se expressam bastante, com os orientais, silenciosos e quietos, que pouco se manifestam.

A pessoa que muito reclama de tudo e da dor passa por uma situação parecida com aquela história infantil do menino e do lobo. Tantas foram as vezes que o menino avisou aos camponeses que o lobo havia chegado, embora fosse mentira, que na hora que o lobo veio de verdade ninguém acreditou, e demorou para que ele fosse socorrido. Quem sempre se queixa tende a ser julgado como uma pessoa que reclama demais, e sua dor tende a ser desvalorizada. Infelizmente, isso não ocorre somente entre os membros da família e pessoas mais próximas, mas mesmo os profissionais de saúde subestimar a reclamação de dor. Conforme já comentei anteriormente, em uma pesquisa que orientei sobre dor no parto, observei a nota de dor dos médicos era sempre menor do que a nota de dor das pacientes.

A pessoa que reclama de dor pode apresentar um quadro de saúde importante que precisa ser investigado, ou ainda pode haver a necessidade de mais medidas analgésicas para o alívio, independentemente do perfil que ela apresenta.

Por outro lado, o indivíduo que pouco se expressa não tem menos dor. Sua dor pode ser de intensidade igual ou até maior do que a de outras pessoas que comunicam melhor o sintoma. Na atividade clínica prática, apesar de consultarmos a intensidade da dor dos pacientes, é um aspecto tão individual que não serve para ser comparativo entre as pessoas – pode ser usado para comparar a pessoa com ela mesma em outro momento. Trata-se de outros aspectos da dor, como tipo, duração das crises, se a é contínua ou se algo a originou, além dos exames clínicos e complementares, que poderão indicar o que pessoa tem.

Muitos confundem o tempo de duração curta (dor aguda) com a intensidade ("dor aguda é dor forte"). Isso é um erro, porque dor aguda ou crônica se refere ao tempo de duração da dor, e eu posso ter dor aguda forte ou fraca e dor crônica forte ou fraca.

Uma alta graduação de dor em um paciente significa um alto sofrimento por parte dele, significa uma expressão da dor, mas pouco ajuda no diagnóstico em si. Há dores que sempre são ditas como de fortíssima intensidade (como a neuralgia do trigêmeo), independentemente da cultura do sujeito. E há outras que apresentam uma variabilidade de intensidade maior.

É claro que quem nunca se queixa de dor e de repente aparece dizendo estar dolorido chama a atenção, e logo pensamos em algo grave. Mas mesmo quem sempre aponta a dor que tem deve ser ouvido, diagnosticado e interpretado.

42 Como os aspectos espirituais influenciam a dor

A dor e o enfrentamento também são profundamente influenciados por religiosidade, crenças e espiritualidade. Em uma pesquisa que orientei há alguns anos, pudemos observar o quanto a fé é utilizada como forma de lidar com a dor. A meditação e as orações podem modificar o funcionamento da rede neuronal, o que auxilia na modulação das percepções dos cinco sentidos, inclusive a dor. As práticas espirituais podem alterar parâmetros hormonais e ajudar no sentimento de otimismo e de enfrentamento de todas as condições. Além disso, é possível modificar aspectos relacionados ao sistema límbico e às emoções através da espiritualidade e de suas várias formas de manifestação.

Espiritualidade é um conceito mais profundo e abrangente do que a religiosidade. Esta está mais relacionada a sistemas de crenças, enquanto aquela é a sensação de que há algo maior, independentemente de chamá-lo de Deus. Ao passo que alguns sistemas de religião relacionam a dor à punição e ao castigo (o que influencia bastante na forma que as pessoas sentem a dor), a espiritualidade pode ser considerada uma ferramenta para alívio da dor. E é claro que, dentro das práticas religiosas, a espiritualidade pode ser desenvolvida e exercitada.

A espiritualidade modifica a expressão do sistema imune, melhorando a defesa contra infecções. Melhora a resiliência e a resposta ao estresse e às pressões da vida moderna. Por trazer significado para a vida e para as ações e atividades das pessoas, ela resolve a questão de sentimento de utilidade, de progresso e de união e amor.

Alguns estudos apontam para a menor frequência de dor entre pessoas espiritualizadas; porém, mesmo em quem tem dor, a espiritualidade pode ser uma forma de alterar o cotidiano, facilitando a adesão aos tratamentos e melhorando a disposição para as atividades. Além disso, mesmo diante do aspecto finito da vida, a espiritualidade traz um sentimento de continuidade, a sensação de que perdas de indivíduos queridos não são eternas, pois estes continuam de alguma forma. Traz, ainda, o significado para situações durante que implicaram sofrimento e limitações.

Mesmo que a dor seja um castigo ou punição, a esperança na cura e no alívio pode ser reforçada através da espiritualidade.

Assim, quando consideramos a dor como algo físico, psíquico, emocional e social, ela também tem uma dimensão espiritual que, apesar de infelizmente ser pouco abordada pelos profissionais de saúde, permanece latente, fazendo parte do cotidiano de boa parte dos pacientes que se queixam de dor. Reconhecendo-a, ela pode ser incorporada nos tratamentos, auxiliando no controle da dor.

43 A diferença sexual da dor é biológica

Já ouviu dizer que as mulheres têm mais dor? Já reparou que nas salas de espera dos consultórios especializados em dor há mais mulheres? É verdade, os estudos epidemiológicos mostram que as mulheres são a maioria quando o assunto é dor. A síndrome fibromiálgica, por exemplo, que é a doença da dor por excelência, acontece em nove mulheres para cada homem afetado. Na maioria das doenças que causam dor, há três ou quatro mulheres para cada homem.

Do ponto de vista psicossocial, essa diferença foi sempre atribuída aos diferentes comportamentos entre os gêneros, além das diferenças na forma de expressarem os sentimentos e na forma que foram educados na infância.

É verdade que aos meninos sempre se ensinou que não deveriam chorar. E as meninas não só naturalmente se expressam mais sobre o que sentem, como sempre foram incentivadas a fazer isso. Assim, as mulheres acabam se queixando mais enquanto os homens são mais reservados, o que significa que as mulheres procuram mais assistência por causa de dor e os homens menos, correto? Em parte. Porque se sabe que há diferenças biológicas entre os homens e as mulheres que fazem com que elas tenham mais dor.

Ponto para as mulheres. Não basta dizer que elas reclamam demais por frescura, ou porque são mimadas, ou porque simplesmente são mulheres. As mulheres têm maior resposta à dor e também tem um sistema supressor menos eficiente. É biológico, físico. Não psicológico.

Boa parte disso é modulada pelos hormônios femininos. Alguns estudos em ratos e em humanos demonstraram essas diferenças em pacientes com dor na face. A dor nas mulheres costuma se espalhar mais rapidamente, o que significa que os mecanismos de sensibilização que aumentam a sensação de dor são mais eficientes nas mulheres, e elas desenvolvem mais dor.

Por isso, não é à toa que muitas dores de cabeça estão relacionadas ao ciclo menstrual (mudanças hormonais durante o ciclo) e algumas delas simplesmente desaparecem quando a paciente entra na menopausa, enquanto outras começam com a menopausa pela ausência do hormônio. Ainda há muito mistério, mas a certeza de haver aspectos biológicos envolvidos muda completamente o olhar quando o assunto é mulher/homem com dor.

Ainda há outra diferença entre os homens e as mulheres relacionada à simples presença de um cromossomo X. As mulheres têm dois cromossomos X enquanto os homens têm um X e um Y. Ainda são necessários muitos estudos para decifrar se há alteração no processamento neural da dor simplesmente pela presença do cromossomo. E isso explicaria diferenças na frequência de dor em meninas antes mesmo da puberdade (o momento em que as diferenças hormonais começam a aparecer).

A implicação dessas descobertas é enorme tanto para desvendar os mecanismos envolvidos na dor quanto para entender que não se trata de manha: é dor mesmo. Alívio feminino!

44 O envelhecimento, a infância e a dor

A idade pode influenciar na presença da dor?

Há alguns anos, levantamentos realizados em pessoas da terceira idade, internadas ou não, mostraram que elas têm mais queixas de dor em geral do que indivíduos mais jovens. A dor no idoso pode ter muitas causas, entre elas, o desgaste de articulações, as mudanças musculares, o sedentarismo e a exposição por muito mais tempo a fatores que contribuem para a dor.

Além disso, se dor é memória, e se, quanto mais memória de dor se tem, mais risco de se ter mais dor, então a história, estilo de vida, condições de saúde, doenças presentes que vão aparecendo com a idade podem contribuir para o idoso ter mais dor.

Em uma sociedade que está envelhecendo, prestar atenção ao cotidiano e cuidar do corpo, da mente e do espírito são importantes, pois isso terá impacto no longo prazo. Assim, prevenir a dor crônica na terceira idade faz parte de um contexto de cuidado consigo mesmo para um envelhecimento mais saudável.

O idoso muitas vezes considera a dor como parte do envelhecimento e pouco procura atendimento, a não ser que a situação seja mais crítica. Esse quadro está mudando com a valorização da qualidade de vida na terceira idade e também com a participação ativa de familiares e amigos próximos, que auxiliam no processo de busca pelo alívio. Estar incapacitado pela dor não pode ser considerado normal.

É preciso prevenir a dor e os problemas de saúde desde cedo. Infelizmente, os dados populacionais de hipertensão, diabetes e obesidade, a qualidade de alimentação e o nível de sedentarismo estão comprometidos mesmo em adultos jovens e até em adolescentes e crianças, o que deve comprometer também a qualidade de envelhecimento dessas pessoas.

Por isso, saúde e hábitos adequados e equilibrados precisam ser cultivados desde criança. As crianças também podem apresentar dor, e se forem muito novas o diagnóstico é complicado.

Atualmente há especialistas em dor que podem avaliar idosos comprometidos cognitivamente, como especialistas em pediatria que podem avaliar crianças (inclusive as muito novas, que ainda não se expressam com palavras) e indivíduos com necessidades especiais. Todos podem apresentar quadros de dor e precisam encontrar o tratamento e o alívio para ter uma vida mais digna.

45 Cicatrizes de dor

Então, se dor é memória, os episódios de dor ficam de alguma forma registrados no cérebro. Isso significa que mudanças aconteceram nas redes neuronais e estão prontas para serem usadas caso a dor ocorra novamente.

O mais interessante sobre esse processo é que a memória de dor não é só importante em episódios de dor crônica, mas dores agudas também deixam marcas e cicatrizes no sistema nervoso.

Já vi pacientes que tiveram dor de dente e que foram tratados (tratamento de canal), mas depois de anos começaram a se queixar de dor no mesmo dente. Porém, ao avaliar, não era aquele o dente que agora tinha problema, mas um dente vizinho, um dente um pouco mais distante ou até um dente superior quando o que doía era o inferior. Mera coincidência? Não. Para o cérebro, que havia guardado uma cicatriz de memória com a informação sobre a dor anterior, era como se o anterior tivesse voltado a doer. O nome desse processo é dor referida.

Por outro lado, as cicatrizes de dor podem alterar a sensação de dor sem modificar o local que dói. Como exemplo, podemos citar a paciente que tinha dor neuropática na região da boca em que havia realizado implantes e que sentia que aquela dor se espalhava para a cabeça, nas têmporas. A avaliação mostrou que a dor nas têmporas era reforçada ou originada por pontos dolorosos musculares nessa região. Tratava-se de dor antiga, que a paciente não mais sentia e que estava controlada, mas que voltou a aparecer quando houve nova causa de dor em região próxima.

É por isso que o retorno da dor e mudanças no padrão da dor (como local, forma, tipo de dor, duração de crises) são fatores que devem chamar a atenção, porque podem significar que há algo novo no pedaço e que precisa ser investigado. Para o paciente, parece tudo a mesma coisa. E, quando a dor é referida, o paciente jura que dói mesmo naquele lugar e tem dificuldade até de acreditar que não seja isso.

Há poucos anos, recebi um telefonema de um familiar com queixa de dor e que estava se submetendo a inúmeros tratamentos dentários, mas sem melhora. Havia a indicação de que deveria ter outra causa de dor, mas, por telefone, ao conversarmos, as características de dor que ele relatava denunciavam que havia algum dente envolvido, e que era um caso de dor referida de um dente para outro. Porém, certeza só poderia ter se eu avaliasse. Ele permaneceu cético. Afinal, tinha me ligado, pois eu era a especialista e poderia ajudá-lo a decifrar uma dor que já havia sido percebida como *não* de dente. E eu disse que era dente. Só poderia estar errada. Ele demorou para vir. Voltamos a ter contato. Insisti que precisava olhar, examinar para confirmar a minha hipótese. Ainda assim, ele continuou com remédios e tentando outras alternativas. Os analgésicos mais fortes que ele tomava não faziam efeito direito. Até que não aguentou mais, e algumas semanas (mais de mês) depois, nos encontramos. E bingo! Era uma pulpite (dor de dente que leva ao tratamento de canal), que rapidamente foi aliviada com o tratamento adequado. O paciente permaneceu cético até que a dor desaparecesse mesmo, porque ele não sentia a dor no dente diagnosticado – a dor era em outro local!

Outro caso de dor de dente referida é o de uma jovem que apareceu desesperada contando uma história de dor que tinha também tudo para ser uma dor de dente como a anterior. Porém, a história era outra: a dor começou na região do dente do siso, que foi extraído, mas a dor não melhorou. A paciente fez tratamentos no local, e ainda assim a dor não melhorou. Tratou a ATM, e a dor não melhorou. Foi encaminhada para o neurologista, que começou a tratar como neuralgia do trigêmeo, mas a dor não melhorou. Foi encaminhada ao neurocirurgião e estava quase fazendo uma cirurgia quando a paciente veio ao meu consultório. Para resumir a história, o que ela tinha pulpite do dente vizinho ao local da extração.

Assim, nem sempre a dor que se sente é causada no local onde se sente; nem sempre a dor apresenta uma única causa. E, se houver mudança no padrão dessa dor, ou se os tratamentos não deram certo, então é necessário investigar. Pode ser uma dor de bom prognóstico. Como a pulpite, mas pode ser que não.

46 Conversar com quem tem dor pode me ajudar?

Este tópico é dedicado principalmente para os pacientes que têm dores crônicas de difícil tratamento, ou que se apresentam em crises eventuais, ou que não encontraram ainda alívio suficiente para conquistar uma boa qualidade de vida. Sendo mulheres ou homens, muitos pacientes com dor têm a necessidade de desabafar e de conversar com as pessoas sobre o que sentem.

Muitas vezes, conversar, por si só, melhora o sintoma. E ao conversarmos processamos nossas ideias e conseguimos tomar decisões, mudar comportamentos ou descobrir coisas simplesmente porque, quando conversamos, estamos investigando os fatos e os ordenando. Porém, nem todo mundo tem alguém disposto a ouvir sempre, e às vezes quem se queixa muito acaba sem querer afastando as pessoas. Nesses casos, encontrar um grupo com quem se identifique ou escolher pessoas mais próximas e mais receptivas para a conversa é bom. Ou procurar um apoio psicológico, que terá uma escuta profissional e poderá ajudar.

Há outras pessoas que preferem não falar da dor, mais ainda, que preferem ficar bem longe de quem tem dor. E essas também precisam ser respeitadas; por isso, procure se observar e atender as suas necessidades de acordo com o seu jeito de ser. Mas lembre-se também do apoio importante e da dedicação de amigos, familiares e companheiros ao ouvir sobre sua dor. Eles também precisam de espaço. E, afinal, conversar sobre outras coisas e preencher o tempo com outras atividades que não estejam ligadas à dor pode ser uma boa forma de melhorar o seu enfrentamento e a sua vida.

Já vi pacientes se sentirem muito bem só por conversar com outros pacientes na sala de espera. Sentem-se acolhidos por perceber que a dor não é só deles; que há muitas outras pessoas com aquele problema. Muitas delas têm o mesmo diagnóstico; outras, diagnósticos diferentes. E elas podem trocar informações, dividir o que sentem e simpatizar-se umas com as outras porque conseguem compreender com profundidade o que o outro sente. É por esse motivo, entre outros, que há as associações de pacientes. A associação internacional para a dor facial começou com pacientes e familiares de pacientes que tinham neuralgia do trigêmeo nos anos 1990, e aos poucos eles foram incluindo pacientes com outras dores faciais que procuravam a associação. Aos poucos se espalhou pelo mundo todo. E há outras associações de pacientes com dor.

Dor é subjetiva, e é difícil fazer os outros realmente entenderem que a dor está presente, porque não a veem. Então, muitas vezes o paciente com dor se sente desamparado porque quer conversar com os outros, mas eles não compreendem, não entendem, ou simplesmente parecem não acreditar.

Porém, para quem quer distância do assunto porque sentir dor já é demais, ou para quem prefere não ter contato com mais pessoas que têm aquele problema, sem problemas! Procure o que você precisa e que o ajuda a viver melhor no caminho dos tratamentos para a dor. E fique próximo de pessoas saudáveis.

Faça uma análise profunda de suas necessidades e observe as pessoas ao redor que acabam compartilhando a dor com você. Talvez conversar sobre a dor (se é sua necessidade) pode ser mais eficiente se for com outros que também a têm. E não conversar sobre ela, da mesma forma, pode ser uma opção.

47 Grupos educativos podem me ajudar?

Uma forma de enfrentamento de dor que pode trazer benefícios aos pacientes é participar do que chamamos de grupos educativos. E isso é válido não só para o paciente que quer compartilhar a sua dor e conversar com outros pacientes, mas também para aqueles que buscam apenas mais conhecimento e informações sobre a dor que sentem. Afinal, a maioria das pessoas com diagnóstico de dor quer saber quais os tratamentos disponíveis, se e quando vai melhorar, se haverá retorno da dor, se há alguma opção cirúrgica, medicamentos, efeitos colaterais etc. E todos também querem saber qual a causa da dor. É uma doença grave? É uma doença curável? É intratável? É crônica?

Nada melhor, então, do que participar de um grupo em que essas informações sejam passadas. A minha experiência com grupo em dor facial mostrou que os pacientes, quando esclarecidos, passam a entender melhor os sintomas, prever as crises e saber o que fazer quando elas acontecem, e conseguem gerenciar melhor sua vida, para que ela tenha maior qualidade. Muitos pacientes que vinham em consultas semanais passaram a vir semestralmente apenas para acompanhamento, porque estavam sob controle e tiveram suas dúvidas esclarecidas.

Os grupos educativos podem ensinar de forma simplificada e acessível sobre a doença dor, sobre o que a acompanha, sobre o que pode ser feito para minimizar, sobre as opções de tratamento e sobre as formas de enfrentamento para a dor. Geralmente são grupos multidisciplinares, realizados com profissionais de saúde diversos, colocando o paciente em um contato mais próximo com esses profissionais. Isso permite que ele consiga tirar mais dúvidas e fazer mais perguntas do que na rotina do atendimento. Além disso, os grupos colocam os pacientes uns em contato com os outros, o que pode ajudá-los a entender melhor seu problema ao conhecer histórias de dores semelhantes à sua.

Informação e conhecimento estão disponíveis e precisam ser passados aos principais interessados: os pacientes que tem dor, seus familiares, companheiros e amigos próximos. Aprendi que o esclarecimento do paciente é a primeira etapa do tratamento, e é um direito do paciente.

48 Entender a dor reduz a ansiedade

Sendo a dor algo complexo, que, além de sensação, é sentimento e emoção, pode-se compreender que ao menos parte da dor é ansiedade. A ansiedade é um mal da vida moderna, está associada ao estresse e ao medo, e gera respostas comportamentais e biológicas. Como dor é memória de algo desagradável, é natural que exista o medo de ter dor novamente. Quem quer sentir dor novamente? É por isso que o simples fato de pensar em coisas que podem gerar dor faz com que seja quase possível sentir a dor em nós mesmos.

Este capítulo é particularmente importante para as pessoas que serão submetidas a algum tipo de tratamento operatório e que morrem de medo da dor. Ao ver pacientes na cadeira de dentista apavorados com a possibilidade de sentir qualquer dor, percebi o quanto isso influencia nas respostas do corpo, deixando-os pálidos, com a respiração ofegante, e eventualmente levando-os a um desmaio.

A medo causa uma antecipação da dor que potencialmente está por vir. Pode ser que nem doa tanto assim, mas o medo causará uma experiência muito pior. E, se dor é experiência, e se desenvolver dor crônica depende de memória, então temos um prato cheio.

Uma pesquisa que pude avaliar como membro de banca de defesa mostrou que a queixa de dor pós-extração dentária estava diretamente relacionada ao grau de ansiedade avaliado no paciente imediatamente antes do procedimento. A dor foi maior se havia mais ansiedade. O mesmo foi observado sobre a dor no parto. Portanto, atentar para a ansiedade e para o medo é importante.

Alguns medicamentos podem ser usados para o controle da ansiedade, mas há também inúmeras outras formas de tratá-la. Informações e um relacionamento profissional que passem confiança e segurança também diminuem o sintoma. Distrair o paciente do procedimento é outra possibilidade sem efeitos colaterais (com uma música ou um programa de televisão).

O medo pode ser administrado ao tirar o foco de atenção, mas nem sempre através de explicação. Na época da escola, lembra como as mãos ficavam trêmulas e suavam frio, enquanto a boca secava, conforme mais a chamada oral se aproximava do seu nome? Quanto mais se pensa que a situação é normal, pouco se controla do medo, e ele volta irracionalmente. Lembro-me, quando criança, de estar em um centro cirúrgico, enquanto aguardava uma anestesia geral, e de ouvir os meus batimentos cardíacos bem rápidos. Eu tentava pensar que aquilo não era nada, que logo estaria resolvido, e os batimentos acalmavam, mas no momento seguinte começava tudo outra vez.

O medo de ter uma doença grave aumenta a sensação de dor e o incômodo. E muitas vezes é inconsciente ou não é dito. Nesses casos, esclarecer a verdadeira causa pode fazer toda a diferença.

49 Escreva sobre a dor

Como a dor é subjetiva, nem sempre os outros a compreendem. E o paciente acaba ficando desamparado. Por vezes, os outros parecem não acreditar na dor, porque não a veem. Então, uma alternativa à conversa que poderia ajudar a aliviar o intenso sofrimento é escrever sobre sua dor.

Escrever pode ajudar a organizar os pensamentos da mesma forma que a conversa, talvez até de forma mais eficiente, porque deixa o pensamento solto, livre, sem interrupções. O que escrevemos pode ser lido (o que dizemos pode ser ouvido apenas se gravarmos), e ao lermos podemos ter uma ideia do que sentimos. Podemos observar na escrita relações de causa e efeito (como perceber o quanto situações que despertam estresse estão ligadas às crises de dor), ou ainda até identificar padrões nas crises que auxiliem os profissionais de saúde no diagnóstico e no tratamento, como o que acontece com os diários de dor.

Além disso, escrever não depende de outra pessoa, apenas de lápis ou caneta e papel (ou computador, nos dias de hoje). Assim, preserva as relações com as outras pessoas, porque a conversa pode fluir por outros assuntos, e não mais apenas sobre o assunto da dor. Isso melhorará os relacionamentos. E pode ser então uma ferramenta para ajudá-lo no dia a dia com a dor.

Os entes queridos e familiares muitas vezes atuam como cuidadores, dando atenção, levando os pacientes aos tratamentos e às consultas, e precisam também de apoio e de estratégias para enfrentar o problema em conjunto. Para eles, escrever também pode ser uma válvula de escape e auxiliar em abordagens mais profissionais, se o apoio psicológico for necessário e indicado.

Não é fácil viver com dor; mas o paciente pode passar pelo processo de diagnóstico e de melhora através dos tratamentos de forma mais agradável, utilizando-se do apoio profissional e de formas como os grupos, as conversas e a escrita.

50 A dor poderá flutuar

É possível que, mesmo após o tratamento, a dor volte ou aconteçam crises futuras de dor. É importante compreender a dor como uma doença crônica, que é desencadeada por muitos fatores e que depende de participação ativa do paciente. A dor poderá variar de acordo com humor, estações do ano, clima, estresse, e eventos que aconteçam na vida. Quanto mais conhecimento sobre sua dor, e quanto mais preenchida sua vida com atividades físicas, mentais ou espirituais que tragam significado e que lhe façam sentir útil, melhor pode ser o gerenciamento da dor.

Esteja preparado para viver o alívio, mas também para lidar com as crises. Tenha ao seu alcance as ferramentas que podem reduzir o impacto da dor caso ela retorne, ou reconheça sinais sutis de que a dor está voltando para chegar aos consultórios médicos a tempo de não sofrer demais. Os pacientes se antecipam às crises têm melhor controle delas – sem a necessidade de desespero ou pânico com o receio de que uma nova dor possa aparecer. Se você tem o controle e conhece sua dor, e se seu estilo de vida anda mais equilibrado, será mais fácil gerenciá-la.

3

Conclusão

Escrevi este livro para transmitir a todas as pessoas que sentem dor um pouco do considero importante. Casos reais, experiência pessoal e o que realmente se espera da dor. São o reflexo de perguntas que ouvi ou que estavam subentendidas, são a expressão singular de sucesso e superação da dor de pacientes que perceberam qual era o pulo do gato, encontraram seu caminho individual. É nas pequenas coisas que está a verdadeira melhora. Este é o segredo do sucesso das consultas e tratamentos: não há receita de bolo. Pensei também nos familiares e cuidadores que tanto sentem por seus entes queridos e que anseiam por ajudar. Espero que tenham também se encontrado aqui.

Pessoas com dor são, sobretudo, pessoas. Precisam de apoio, de compreensão, precisam ter as rédeas de suas vidas e aprender a gerenciar o que sentem. Elas podem e merecem destaque e participação nas escolhas dos tratamentos, e têm direito de acesso ao conhecimento sobre o percurso que está por vir quando a dor foi diagnosticada.

Acredito profundamente que é possível ter muito mais humanidade no atendimento médico e menor sofrimento; isso é possível trabalhando na formação dos profissionais de saúde que lidam com a dor, mas também divulgando o conhecimento para a população, para as pessoas – as verdadeiras principais interessadas em encontrar o alívio.

4

Glossário de termos

Alguns dos termos mais comuns e que não podem ser evitados estão aqui definidos para ajudar o leitor. De qualquer forma, em cada momento que os utilizei durante o texto, procurei explicá-los para que não sejam necessárias muitas consultas a este capítulo. As definições aqui foram simplificadas com o intuito de serem compreendidas pelo leitor.

- **Cirurgia eletiva:** cirurgias são procedimentos operatórios e, quando não são urgentes ou não são emergenciais, podem ser chamadas de eletivas.
- **Ciclo circadiano:** é o ciclo de aproximadamente 24 horas que corresponde ao nosso ritmo biológico.
- **Cognição:** inclui várias funções complexas do cérebro que envolvem o conhecimento, a memória, o raciocínio, a imaginação, a linguagem.
- **Cronificação:** processo em que a dor passa de aguda para crônica, ou seja, quando a dor se prolonga mais do que deveria e se torna uma doença.
- **Dor:** é uma sensação ruim, que caracteriza uma experiência e que gera uma memória. Pode ter ou não uma lesão ou doença associada a ela e ser facilmente identificada.

- **Dor aguda:** dura pouco tempo, em geral até três meses.
- **Dor crônica:** tem maior duração, geralmente mais de três ou seis meses.
- **Dor referida:** quando a origem ou a causa da dor estão localizadas em uma parte do corpo diferente da parte em que o paciente sente dor.
- **Efeito placebo:** é o efeito positivo de um determinado remédio ou tratamento que é inerte, ou seja, que não tem nenhum princípio ativo. Acontece pela crença do paciente no tratamento.
- **Emoção:** são experiências subjetivas que dependem da sensação, das memórias, do ambiente e do próprio indivíduo.
- **Idiopática:** quando a causa da doença ainda não é conhecida.
- **Interação sensitiva:** é a capacidade de interação que pode ocorrer entre várias sensibilidades diferentes. Por exemplo, quando a sensação de dor parou ao assoprar um ferimento; quando percebemos pelo paladar o cheiro dos alimentos que mastigamos.
- **Meta-análise:** são estudos que juntam trabalhos anteriores para aumentar a amostra e produzir resultados estatísticos para responder a uma pergunta científica.
- **Neuralgia do trigêmeo:** é uma doença que se caracteriza por choques fortes em território do nervo trigêmeo.
- **Neuropática:** que tem mecanismo neural envolvido, ou seja, a dor acontece por mau funcionamento do sistema nervoso, por lesões nervosas ou por perda de inervação.
- **Procedimento invasivo:** é o procedimento que pode provocar uma alteração irreversível.
- **Processamento neural:** inclui a atividade elétrica dos neurônios bem como as mudanças que os neurônios podem apresentar, mudando a rede de contatos entre eles e produzindo memórias.
- **Sensibilização:** trata-se de um processo em que os neurônios (dos nervos periféricos ou do sistema nervoso central) passam a ficar mais excitáveis e disparam estímulos elétricos mais facilmente.